JN153334

部活で 差がつく!

勝つ剣道 上達のコツ60

新装改訂版

剣道教士七段
翔凜学園翔凜中学校・高等学校剣道部総監督 所正孝 監修

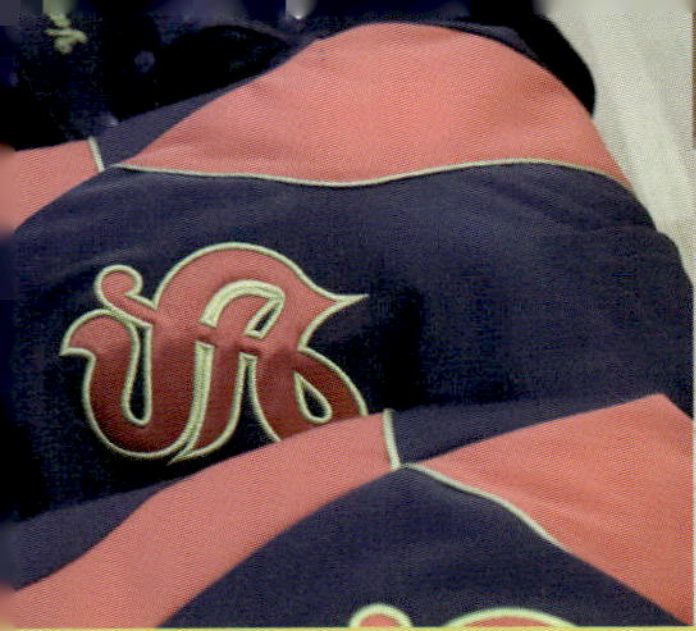

はじめに

みなさんが、たくさんのスポーツの中から選んだ剣道とは、やってみてどんな感じを受けているでしょうか。

私は素晴らしいものを選んだと思います。

スポーツはルールの中で楽しんで行うものですが、剣道は打ち合う競技「打たれて学び」「打って学ぶ」そこに礼法が大切であったり、感謝の心が養われたり、人間として大切なものを修得することができます。

また、体格に有利不利もなく、老若男女関係なく、互いに学び、稽古できる、奥の深い生涯スポーツです。

「継続は力なり」と言いますが、長く続ければ続けるほど楽しくなり、必ず誰もが何かの形となり「花咲く」ことのできる競技だからです。

しかし、長く続けていくためにも、剣道を好きでなければなりません。そのためにも日々の稽古の中で、試合で「勝つ」「強くなる」ことも、その要素だと思います。

その、相手に「勝つこと」「強くなること」のお手伝いができればと本書を作成しました。

剣道の打突部位は四つしかありません。それだけに、より優れた竹刀捌きをするためには、「理合・機会」を長い年月をかけて修得する必要があります。本書は、今できること、面・小手・胴・突き（小中学生は禁止）その部位をいくつかの技と共に、その技を、いかに機会よく、速く、強く打突できるようになる。そのための練習方法、稽古方法、トレーニング方法を紹介しました。

本書の内容を実施し、剣道に必要な身体能力をアップさせ、練習がより楽しく、剣道がより好きになるものと信じています。

所正孝

基本の構え

構えは、すべての動作の基本となるため、隙がなく、いつでも自由に動ける構えでいることが大切だ。最近の学生は手が長いため、左手の位置がヘソよりも下になってしまうことが多く見受けられる。まずは理想的な基本の構えを再確認しておこう。

・目線
遠山の目つけと言われるとおり、目線は相手の目に向けながらも、相手の頭頂部からつま先まで全体を見る

・手、腕、肘
肘を突っ張ってしまうと、力みやすくなる。スムーズな竹刀操作ができるよう、リラックスさせ、肘を適度に曲げておく

・足
両足の幅は肩幅程度に開き、左足の踵は軽く浮かせておく。つま先を正面に向け、瞬時に動き出せるようにしておく

・腰
腰の高さは、低すぎず高すぎず。低すぎると動きにくく、高すぎると上体が安定しない。動きやすい高さにしよう

・左膝
膝頭を相手に向けることで、つま先も相手に向くようになる。また、膝が緩まないよう注意する

・左足
拇指球の付け根に体重を乗せ、腰を入れておく。正しい向きと構えが取りやすく、スムーズな動作にもつながる

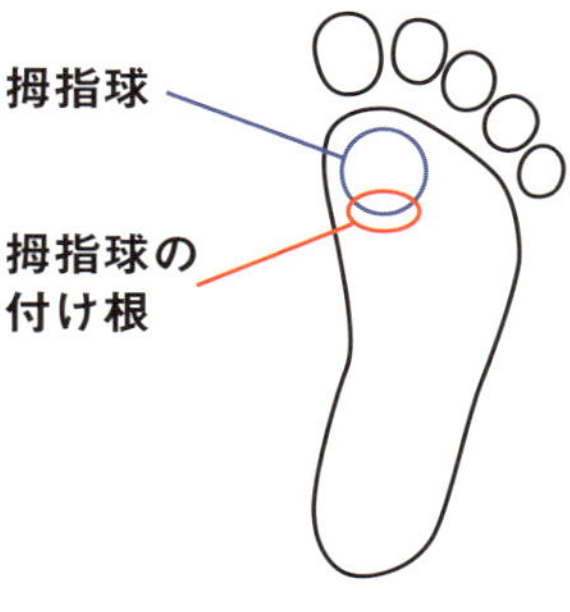

―目次―

※本書は2017年発行の『部活で差がつく！勝つ剣道　上達のコツ60』を元に情報更新・一部必要な修正を行い、書名・装丁を変更して新たに発行したものです。

第一章　練習 ―― 7

― 目次 ―

第三章 心得 107

―目次―

第四章 トレーニング 115

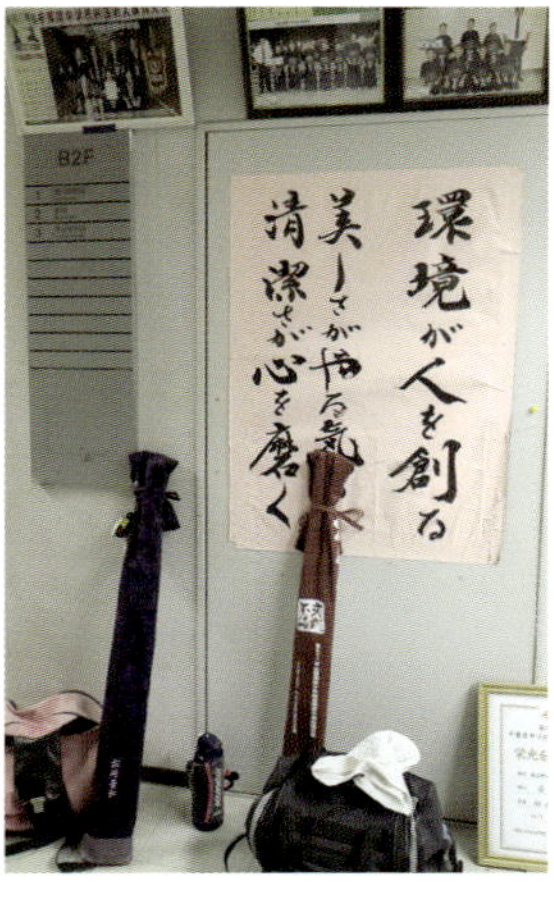

第一章

練習

剣道の強豪である九州勢を研究した結果、「足捌き」の力強さに大きな差があった。そこで辿り着いた練習内容であり、これらを実践することで日本一を達成した練習方法を紹介していこう。

入りの練習の流れ

No.01 足捌き（入り）

基本的な入りを覚え、相手より速く打突の間合いに入り、試合を有利に進める感覚を磨こう！

剣道では、いかに相手より早く打ち間に入り、攻めに移るかが重要なポイントとなる。そこで、ここでは足捌きの中でも基本的な入りを覚える。

まずは送り足を用いて右足を送るが、ここでは**右足の足裏が正面から見えないよう**、つまり、つま先が上を向かないように、つま先から前に出すように足を送る。そして右足を着地させたらすぐに、左足の引きつけを早く行うことが重要だ。左足の引きつけは、右足に並ぶくらいの場所に位置させるくらいでいい。

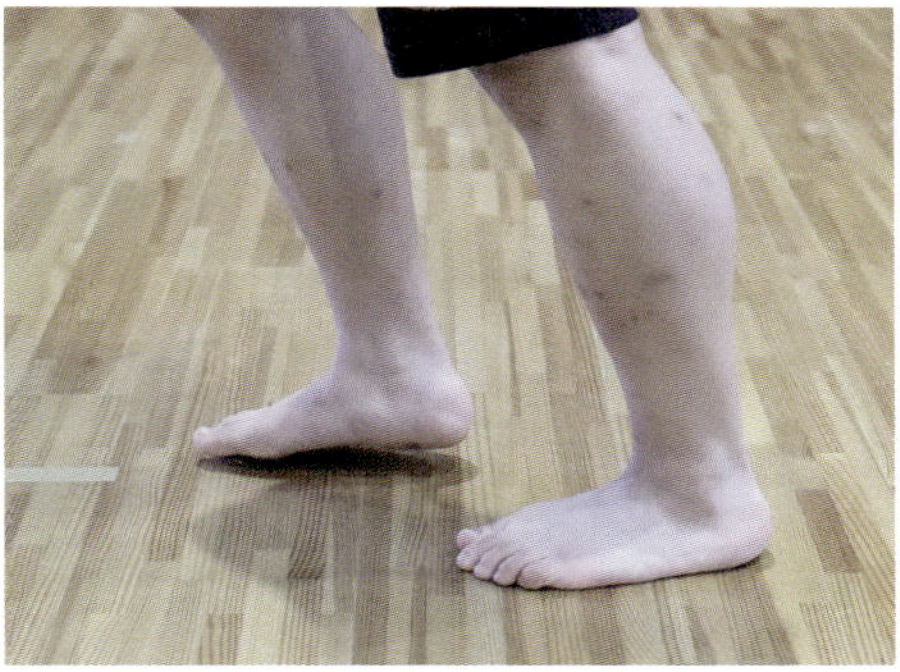

左足で右足を送ることが大切だ

Point 1

送り足の要領で、まずは左足で右足を送ることが重要となる。先にも記載したが、この動作は足捌きの基本中の基本となるので、確実に体に覚え込ませ、意識しなくても自然とこの動作が行えるようにしておこう。素早く小さく右足を前に送ることが重要だ。

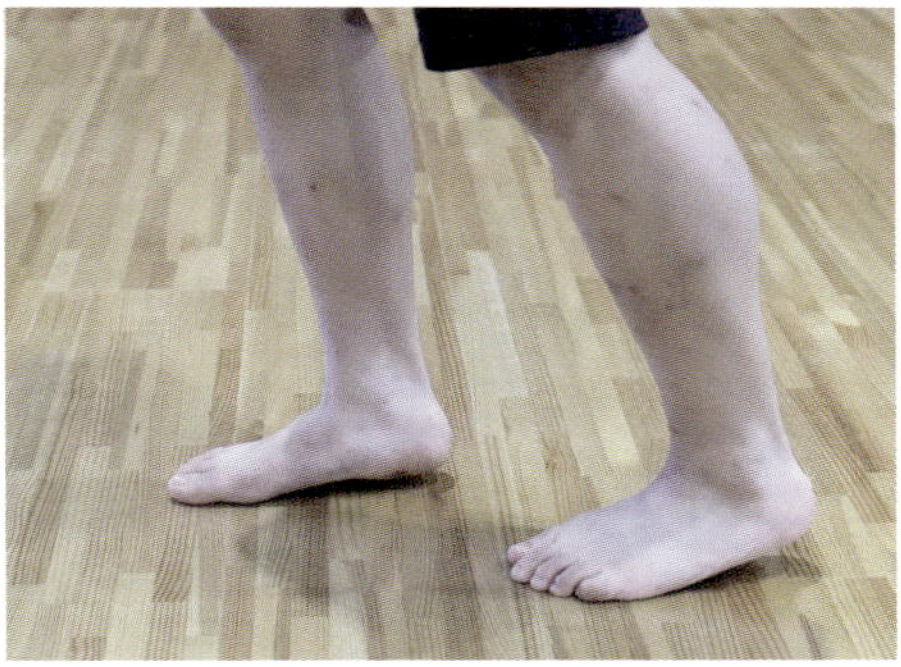

足裏が見えないようつま先から前に

Point 2

右足を前に送る際、気をつけなくてはいけないのは、正面から見たとき、右足の裏が見えないようにすることだ。つま先が上を向いてしまうと、着地が踵からとなり、踵を痛めたり踏み込みで足が戻ってしまう。つま先から前に出ていくイメージで右足を送ろう。

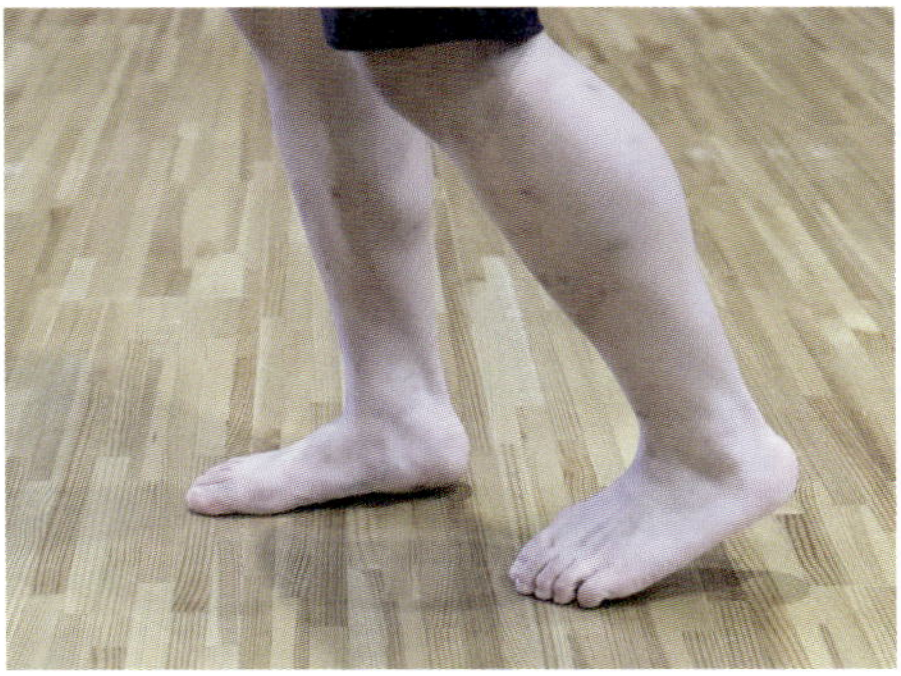

左足の引き付けを早く床を引きずらない

Point 3

右足を送り着地したら、すぐに左足を引きつけよう。このとき、左足は床を引きずらないように注意するとともに、右足に並ぶくらいの位置に着地させる。心の中で「ツッ」といったようなリズムを取り、素早く入りを行うように意識することも重要となる。

ステップアップ

背伸びするくらい大げさに行う

剣道では、頭の高さを上下動させない方がいいと言われている。しかし、この練習では、左足を引きつけたとき、背伸びをするくらい大げさに行うことが望ましい。

大げさに行うことで、体がより覚えやすくなると同時に、下腿の使い方もはっきりと分かりやすく覚えることができるようになる。

上下動させないように注意しすぎると、腰が落ちてしまうなど、よくない方向に進んでしまう可能性もある。あえて大きく行い、天を頭で突くイメージを持って練習しよう。

スキップの流れ

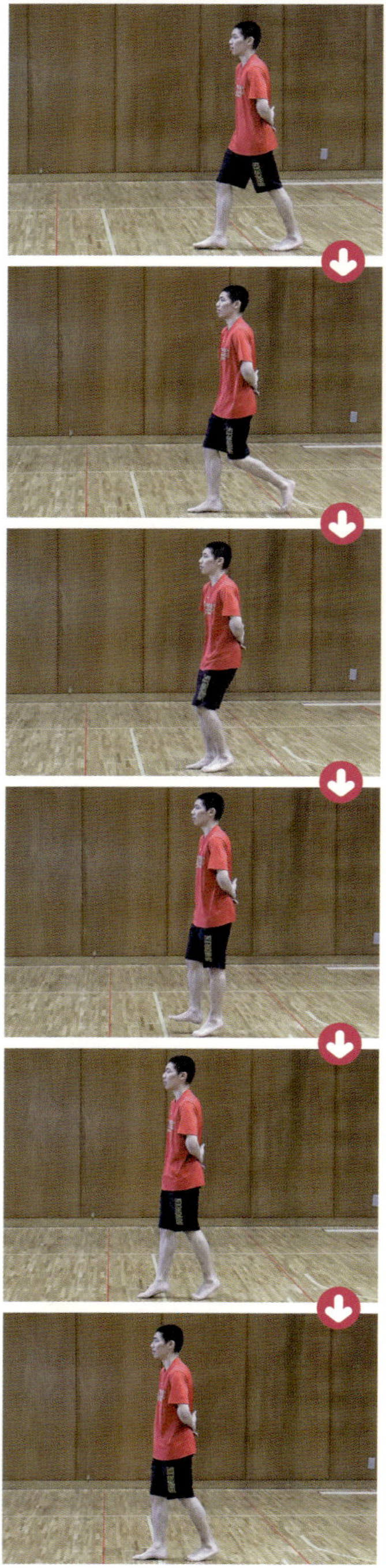

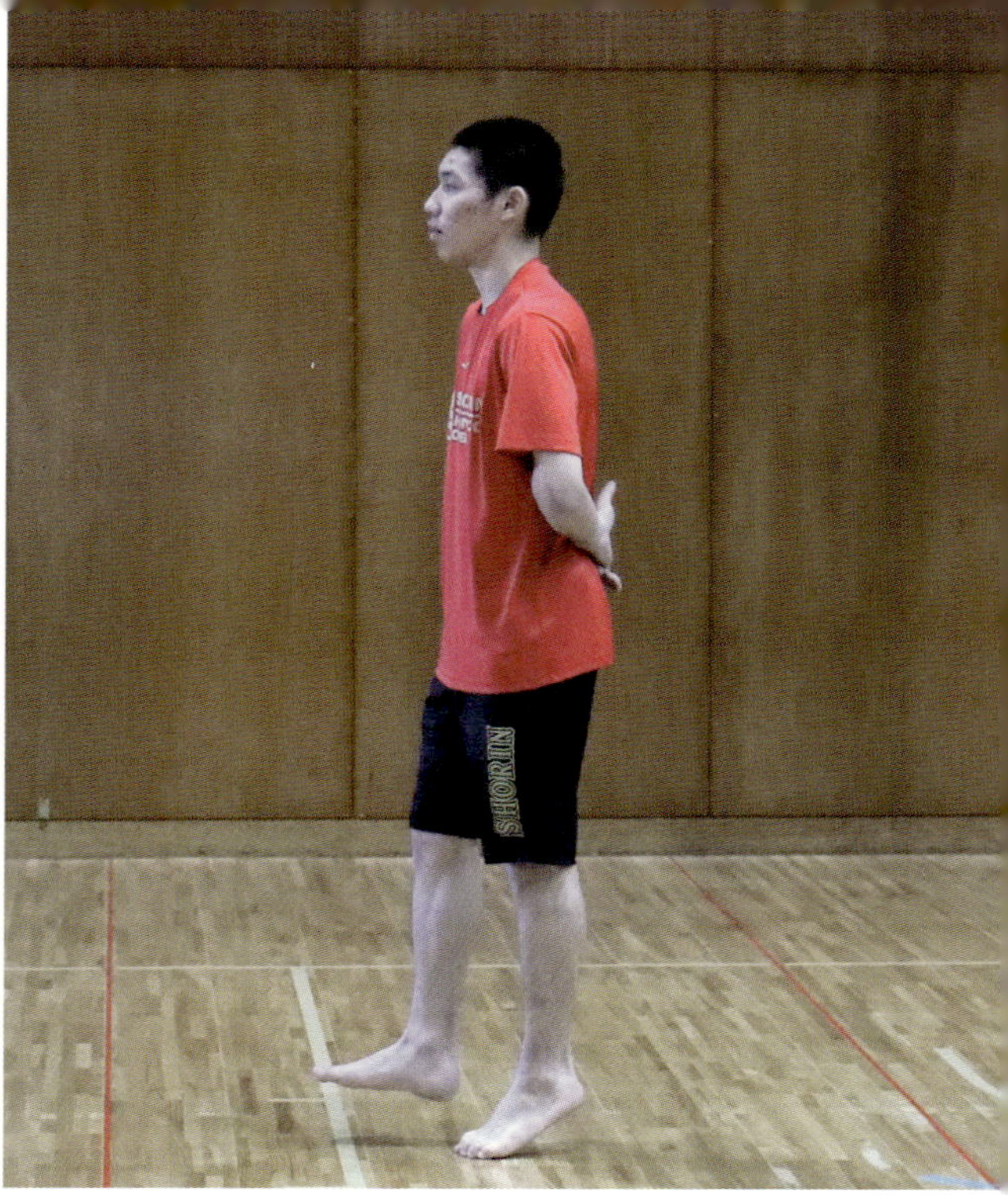

No.02 足捌き（入り）

入りながら左足を引きつけた後、瞬時の右足上げで、素早い打突への移行を覚えよう！

これまでは入りの修得を行ってきたが、ここでは、入りの後、素早く打突へと移行させるための足捌きを練習する。

試合では、間に入るだけでは勝つことはできない。それを技につなげ、打突してはじめて勝つことができるのだ。そこで、打ち間に入った瞬間、打突へと移行できるようにするためには、左足を引きつけた後、瞬時に**右足を上げて打突の準備を行う**必要がある。入りから瞬時に打突に移行させることをイメージして、練習を行うようにしよう。

右足を送り、左足を引きつけたとき右足を上げる

Point 1

これまでの練習の要領で、左足で右足を送り、素早く左足を引きつけたら、すぐに右足を上げる動作を入れる。すべての動作は、これまで通り正確に素早く行うことが重要だ。右足を上げるときは、左足の引きつけの力を利用し、左足で右足を浮かせるイメージで行おう。

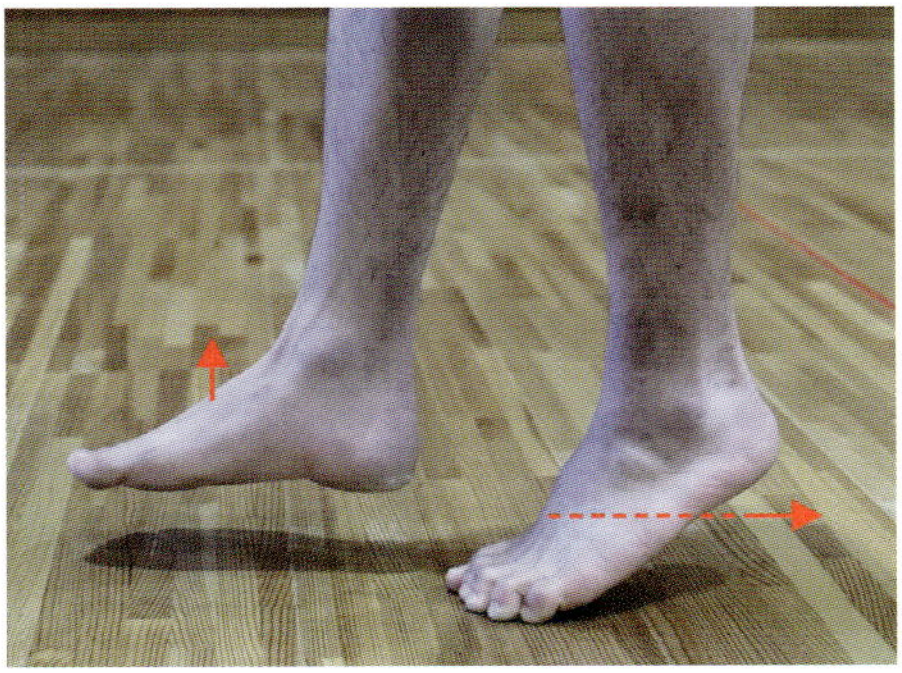

左足の拇指球の付け根にしっかりと加重しよう

Point 2

Point1で右足を上げるとき、単に足を上げたのでは意味がない。打突に移行するための右足の動作である以上、左足の拇指球の付け根に力が入り、しっかりと体重を乗せておこう。こうすることで、瞬時に打突へ移行させることができるようになる。

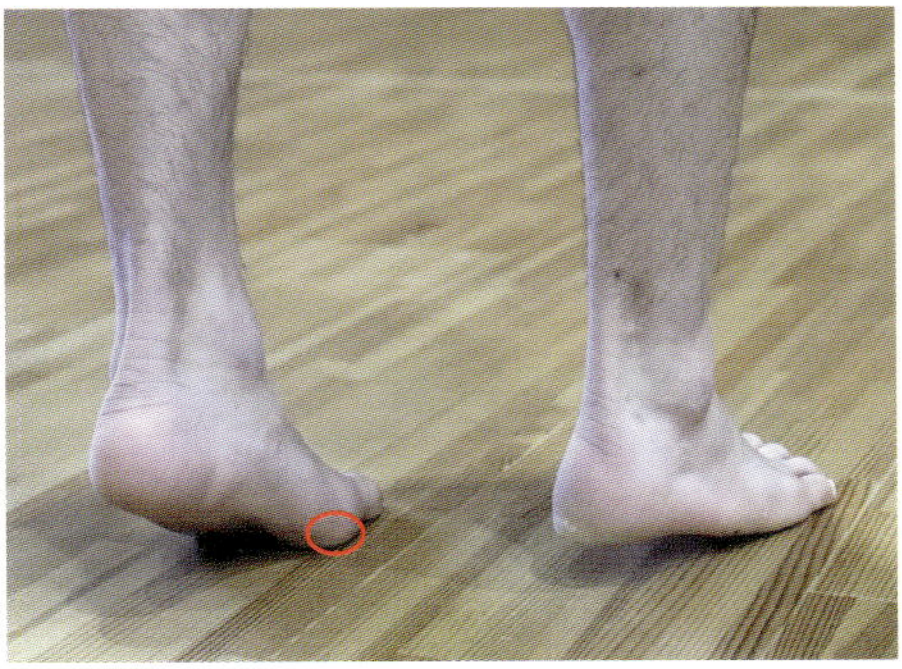

やや前傾姿勢で右足を上げる

Point 3

Point1で右足を上げるとき、注意しなければいけない点がもうひとつある。それは、後傾しないよう、やや前傾姿勢で右足を上げることだ。後傾になってしまうと、瞬時に打突に移行することができないばかりか、試合では相手に隙を与えることになる。

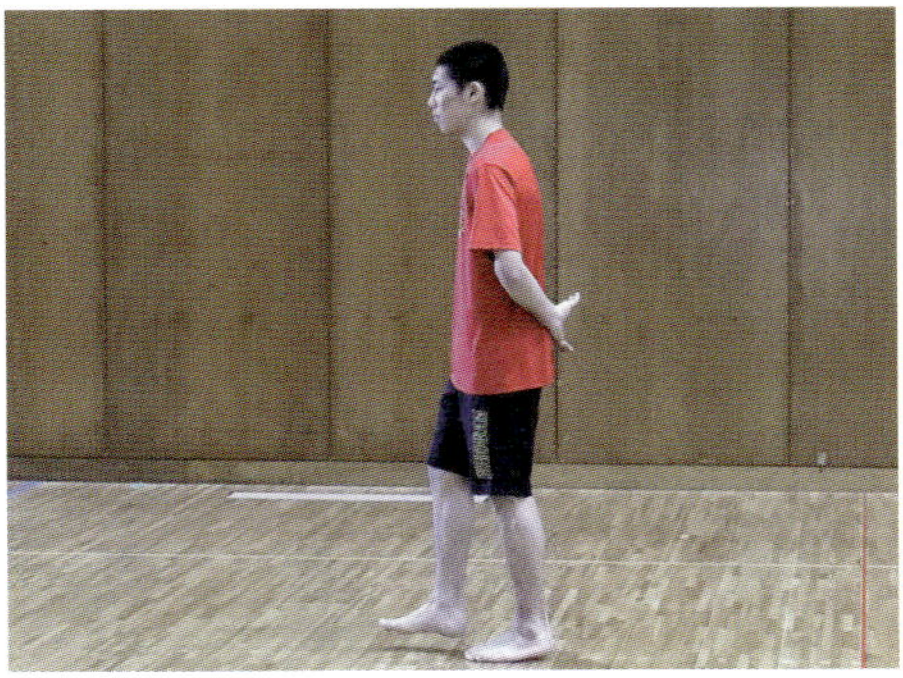

ステップアップ

戻り足にならないよう注意しよう

この練習では「ツ・ス・タン」といったようなリズムで移動していくことになるが、入りの後に上げた右足が、正面から見たとき裏が見えるようでは、いわゆる「戻り足」となってしまう。こうなると、着地したとき踵から床に落ちるため、踵を痛めたり、遠くに踏み込んでいない状態になるなど、デメリットばかりとなる。

送り足同様、剣道では足を移動させるとき、足裏を見せず、必ずつま先が前を向き、つま先から前に進んでいくような足捌きを体に覚え込ませておこう。

踏みの練習の流れ

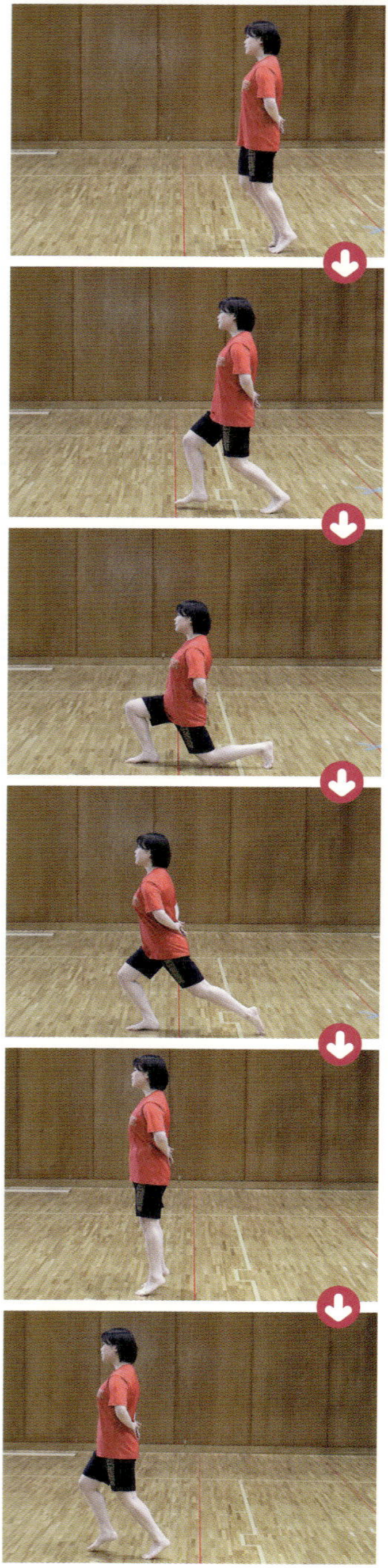

No.03 足捌き（踏み込みの基本）

足を踏み込み引き上げ、左足で右足を送り、右足で左足を引き上げることを理解しよう！

ここからは足の踏み込みについて練習を行う。まず送り足の要領で左足で右足を送り、左足を引きつけず残したまま、その場で右足を踏む。そして、右足で膝も使い素早く左足を引きつけるように心がけよう。

このとき大切なのは、右足を前方の送るとき、**なるべく遠くに送る**ことだ。練習を行う際は、あえて大げさにすることで、体がその動きをより覚えやすくなる。

また、左足を速く戻すことを意識的に行うことも重要になってくる。

右足はできるだけ遠くに送ろう

Point 1

左足で右足を送るときは、左足の拇指球の付け根に十分加重し、ここではできるだけ遠くに右足を送るよう心がける。送り足だけでなく、右足を遠くに送るときでも、剣道独特の足捌きを行うことを理解し、それを体に覚え込ませることが重要となってくる。

上体を起こし後傾・前傾させない

Point 2

この練習を行うときは、すべての動作の中で、上体をしっかり起こしておくことが必要だ。背筋を使って後傾・前傾しないように注意し、頭頂を真上に引っ張られているようなイメージを持ちながら行おう。この要領では頭が床と平行に移動しないが、気にしなくていい。

右足の拇指球の付け根に力を入れ左足を引きつける

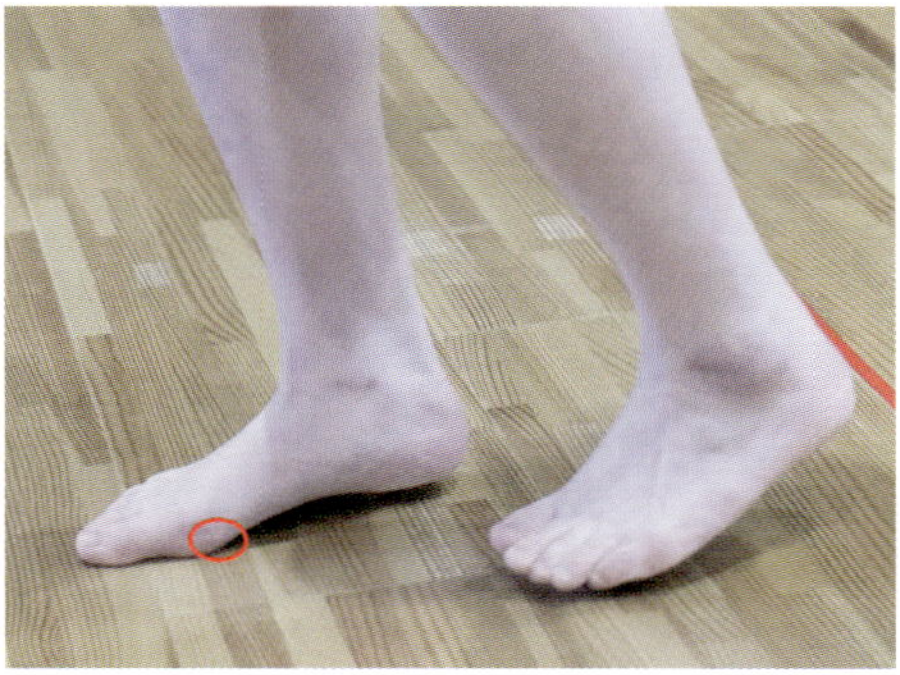

Point 3

右足で踏みを行ったら、拇指球の付け根に加重し、膝を使って素早く左足を引きつける。このとき、左足は床を滑らせるのではなく、紙一枚を挟んで浮かせているようなイメージを持って引きつけよう。この足の捌きも、剣道独特の使い方であることを理解しよう。

ステップアップ

剣道独特の足使いを理解し身につける

剣道では、他のスポーツと違い、独特の足使いが必要となる。それは小さな、あるいは比較的小さな歩幅の送り足に限らず、大きな送り足の場合も同様だ。

右足を遠くに送るのも、また、その後の左足を素早く引きつける動作でも、走るように足を大きく上げず、足と床との間をなるべく狭く保ちながら、左右の拇指球の付け根を使い、足裏が正面から見えないように行う。

この剣道独特の足使いを理解し、身につけることで、上達できるようになる。

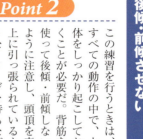

踏みの練習の流れ

No.04 足捌き（入りからの踏み込み）

入りからの踏み込みで、足の裏全体で踏むことと左足の引き付けを理解しよう！

入りから踏み込みを行う練習。これは、試合でやや遠い間合いから一足一刀の間に入り、入った瞬間に打突に転じることを意識した足捌きの練習であり、踏み込み動作の基本中の基本でもある。

一歩入ったら、右足を小さくその場で踏むようにし、その後、左足を素早く引きつけよう。右足を踏むときは、足裏が正面から見えないように意識し、**足裏全体で床を真上から踏む**よう心がけよう。入ってからの正しい踏み込みを覚えることで、打突の強さを生み、戻り足や踵の怪我防止にもつながる。

踏み込みは膝を高く上げず足裏が見えないように

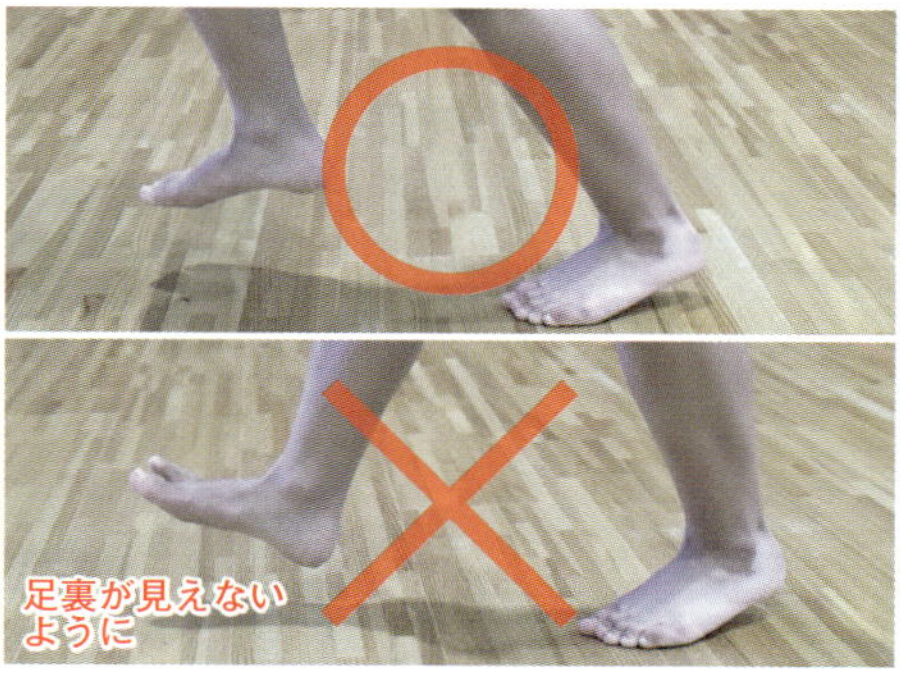

Point 1

入りの要領はNo.01で解説しているので、そちらを参考に。入った後の踏み込みでは、右膝を高く上げず、足裏が正面から見えないように注意しておこう。足裏が見えてしまう上げ方では、着地が踵からとなるため、戻り足となるだけでなく、踵や膝の怪我にもつながる。

小さく素早く足裏全体で床を真上から踏もう

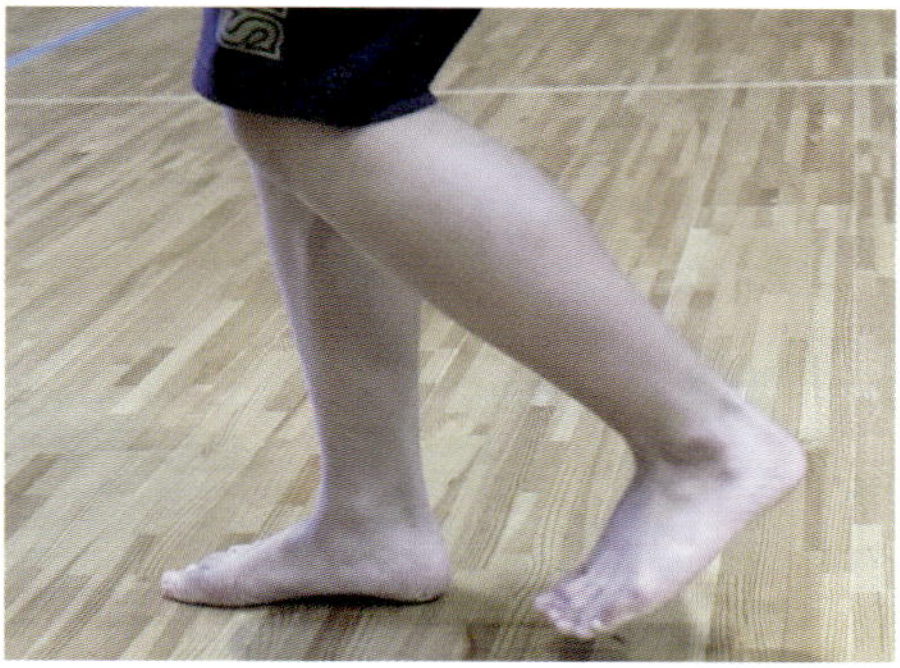

Point 2

Point1で正しく右足を上げたら、その場で小さく素早く、足裏全体で床を真上から踏むように心がけよう。踏むときは、足裏で床を踏みしめるようなイメージを持っておくといい。また、この踏み込みで打突を行うことを意識しておくことも必要だ。

踏んだら左足を素早く引きつけ、背伸びする

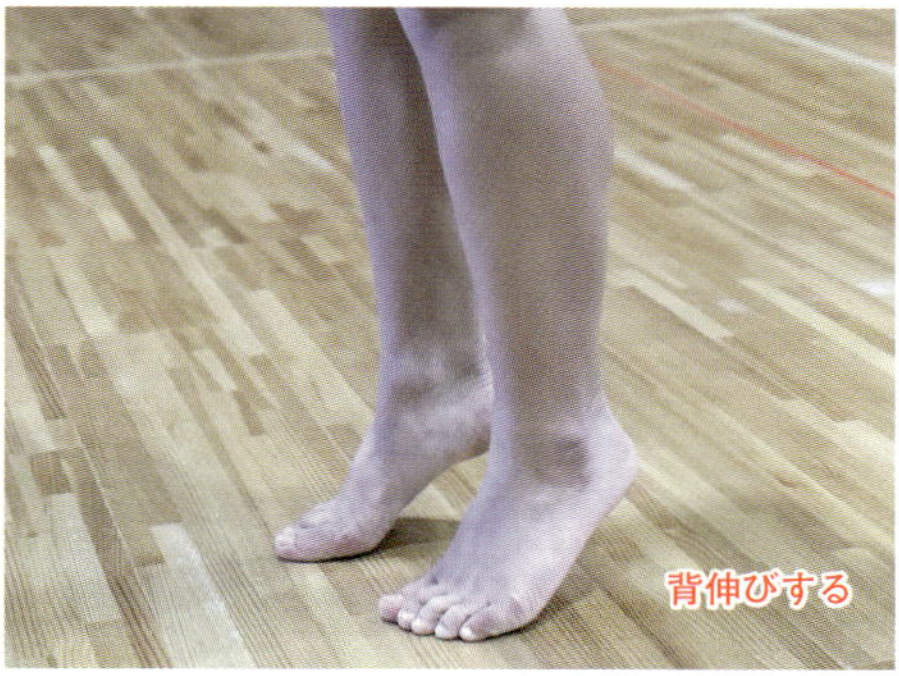

Point 3

Point2で正しく右足を踏み込んだら、左足を素早く引きつけることを意識しよう。左足を引きつけたら、あえて背伸びをするよう心がけると、膝が緩んだり腰が落ちるのを防止できる。また、このとき両足を拇指球の付け根で支えると、次の動作につながる。

ステップアップ

踏む強さが打ちの強さにつながる

踏み込みは、遠くに踏むのではなく、小さくその場を踏むようにしよう。踏みは、その強さが打ちの強さにつながる。踏みが弱ければ、強い打突ができず、効果的な技とはならない。逆に踏みが強ければ、強い打突になるため、技も効果的なものとなるのだ。また、足裏全体で踏むことを体に覚え込ませておくと、踵からの着地、つまり戻り足を防止することができるだけでなく、踵の怪我を防止することにもつながるのだ。正しい踏みを身につけるよう心がけよう。

小手胴を意識した踏みの練習の流れ

No.05 足捌き（小手胴の踏み込み）

入りからの右左の踏み込みで、小手胴を意識しよう！

No.04では、入りからの踏み込みの基本を修得したが、ここでは、その応用として、入りから右・左の踏みを練習しよう。イメージとしては、**小手胴の連続技を意識**しておく。ただし、小手を外しての胴ではなく、あくまでも連続技としてのイメージだ。

入りから右足を小さく踏むが、このときは小手を打突することを意識する。その後、左足を送り込み、左足で胴を打突することを意識しよう。単なる足捌きとして練習するのではなく、打突のイメージを持つことが重要だ。

入りから右足を踏み小手を意識しよう

Point 1

No.04で行った入りからの踏み込み同様、入りから右足を小さく踏み込むが、このとき、小手を打突することをイメージし、意識しておくことが重要だ。足裏を見せないように注意して足を上げ、足裏全体で床を踏みしめるように力強く踏み込むように心がける。

右膝は突っ張らずひかがみを緩め左足を送る

Point 2

Point1で踏み出した右足は、ここでは膝を突っ張らず、ひかがみ（膝の裏）を緩めて左足を送り込む。つまり、適度に曲げた状態のまま左足を送り込むようにすることで、次の動作である胴の打突への準備としていることを意識しておこう。

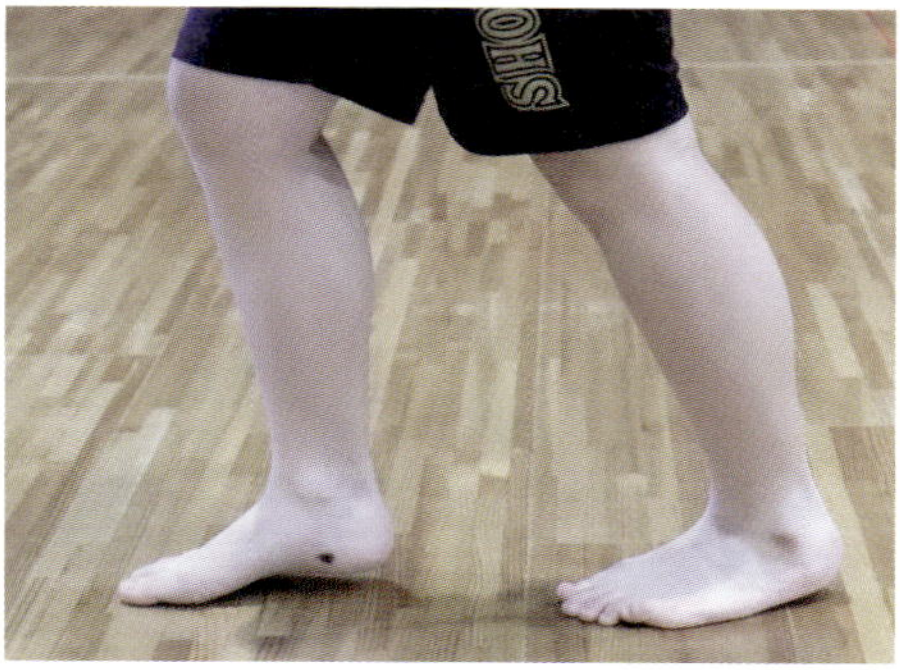

左足の踏みで胴を打突し首を右に傾けよう

Point 3

Point2で左足を送り込んだら、この左足の踏みで胴を打突することを意識しておこう。また、同時に首を右に傾ける。胴の打突では竹刀が横移動となるため、首を右に傾けることで、竹刀を左に移動させやすくさせ、力強い打突を生みだすことができるからだ。

ステップアップ

一連の動きを意識しておく

この練習では、小手胴の連続技を意識した足捌きを行っているため、ひとつの動作として流れるようにスムーズに行えるようにすることが大切なのだ。

他でも触れているが、通常、連続技は「渡り」の技として、小手を打突して一本が取れなかったので、胴を打突しにいく、という意味合いがあるのだが、高校生くらいの年代では、瞬発力があるため「小手・胴」ではなく「小手胴」というひとつの技として行うことができる。連続技というよりひとつの技、という意識を持っておこう。

小手面を意識した踏みの練習の流れ

No.06 足捌き（小手面の踏み込み）

入りからの右右左の踏み込みで、小手面の踏みを意識しよう！

No.05では、入りからの右左の踏み込みで、小手胴を意識した練習を行ったが、ここでは、入りから右右左の踏みを練習しよう。イメージとしては、**小手面の連続技を意識**しておく。ただし、この場合も小手を外しての面ではなく、あくまで連続技としてのイメージだ。

入りから右足を小さく踏むが、このときは小手を打突することを意識する。その後、再度右を送り出し、面を打突することを意識しよう。単なる足捌きとして練習するのではなく、打突のイメージを持つことが重要だ。

入りから右足を小さく強く踏もう

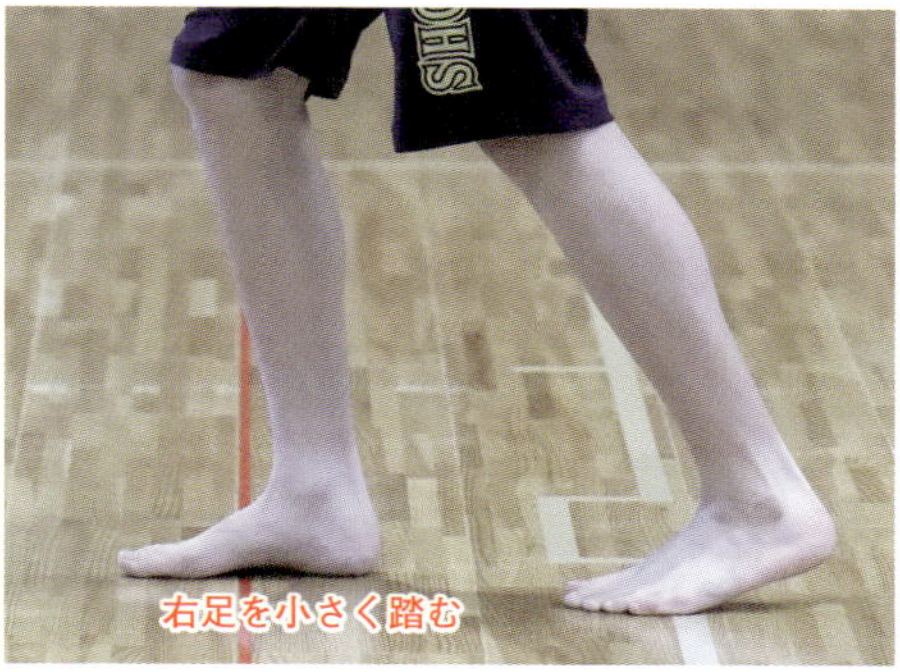

Point 1

No.05で行った小手の踏み同様、入りから右足を小さく踏み込むが、このとき、小手を打突することをイメージしておこう。左足は引きつけず、そのままの位置に置き、足裏を見せないように注意して足を上げ、足裏全体で床を踏みしめるように力強く踏み込む。

右足をさらに遠くに送り出し左足を引きつける

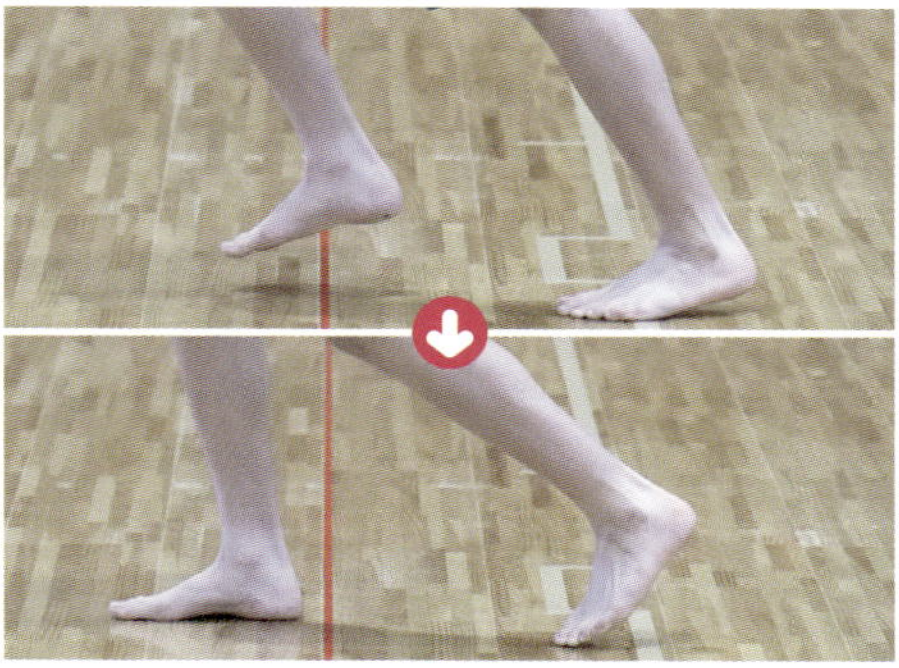

Point 2

上体を前傾させないように注意し、Point 1で踏み出した右足を、さらに遠くに送り出す。このときは、面の打突を意識しよう。左足の拇指球の付け根にさらに加重して右足を送り出すことを心がけ、着地したら、素早く左足を引きつけ、次の動作の準備を行う。

強い踏みと素早い動作では打突後に体が浮く

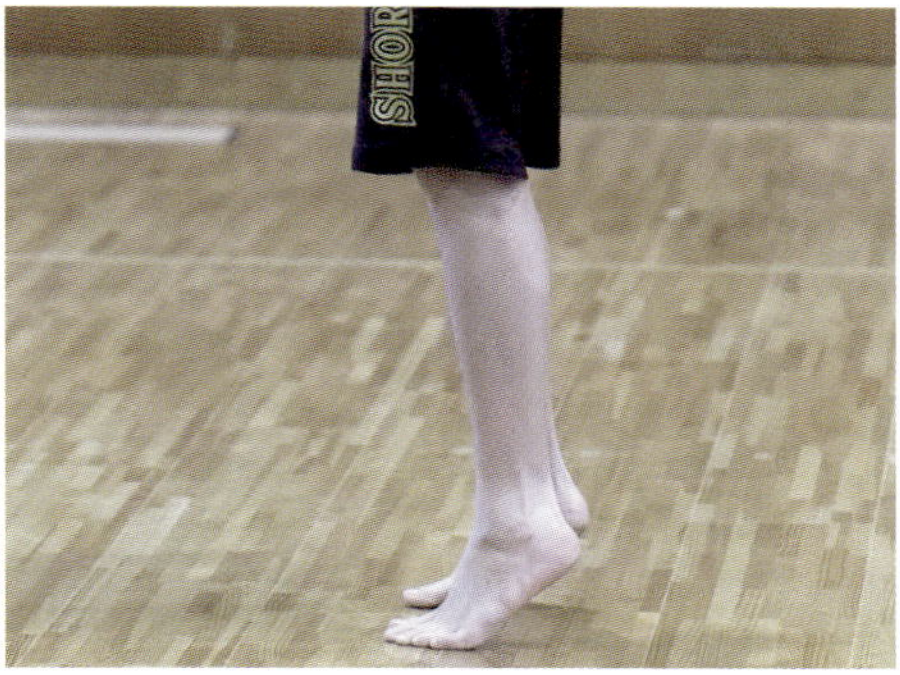

Point 3

2回目の右の踏みを素早く、力強い動作にすると、打突後、自然と体が浮くことを理解しよう。剣道では上下動を好まないが、あえて腰が落ちないよう、平行移動にならなくてもいい。この場合は、次の動作に素早く移るために、左足・右足の順に着地させる。

ステップアップ

両足が着いているのは構えのときだけ

剣道で両足が床に着いているのは、構えているときだけだと理解しておこう。

ここでは、一回目の踏みで小手を打突した直後に、面を打突するイメージで行った。一回目の右足の踏みの後、すぐ二回目の踏みに移行し、右足が着地したときには、左足がすでに浮き、引きつけているような状態を作ろう。結果的に、両足が宙に浮いている状態となることが望ましい。

両足でジャンプするのではなく、踏みの右膝は緩めず、常に張っている状態で、踏みの強さの反動で体が浮く。

技をつなぐ踏みの練習の流れ

No.07 足捌き（技をつなぐ踏み込み）

正面右左の踏み込みで、連続で左足を軸に踏みながら移動し、技をつなぐ踏みを理解しよう！

これまでは前方に移動していく踏みを練習してきた。ここでは、左右に方向転換する踏みを練習してみよう。試合で相手がどの方向にかわしても、踏みで相手に向かい、**技を連続してつないでいくことをイメージ**しておくといい。

実際の試合で、このように大きな角度の方向転換を伴うことはないが、あえて大げさに練習しておくことで、体に覚え込ませるためには必要なことだと理解しておこう。大げさに行うのは、すべての足捌きの練習に共通して言えることでもある。

右足でその場を踏み左足を引きつけよう

Point 1

太鼓などの合図を聞いて素早く反応し、まずは右足でその場を踏もう。大きく出す必要はない。小さく素早く力強く踏むことが重要だ。右足を踏んだら、素早く左足を引きつけ、次の動作に移る準備を行うことが重要だ。また、動作の中で左足の踵は床に着けない。

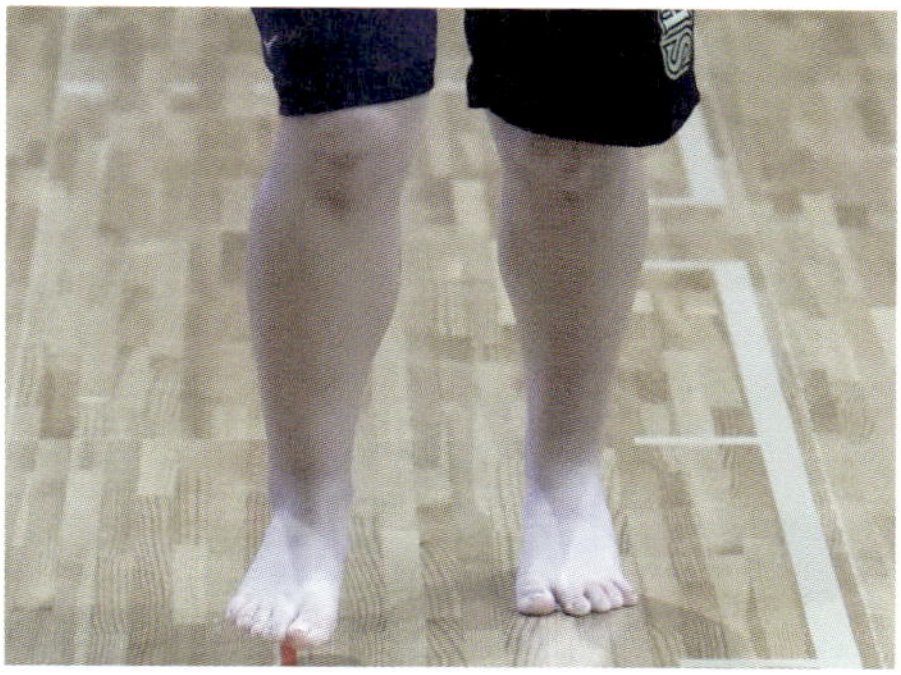

拇指球の付け根に加重し背伸びをする

Point 2

踏みと方向転換にばかり意識が集中しがちだが、左足の引きつけが重要となる。そのため、左足を引きつけたら、両足の拇指球の付け根に加重するとともに、背伸びをするよう心がけよう。両足の拇指球の付け根に加重できていないと、スムーズな方向転換ができない。

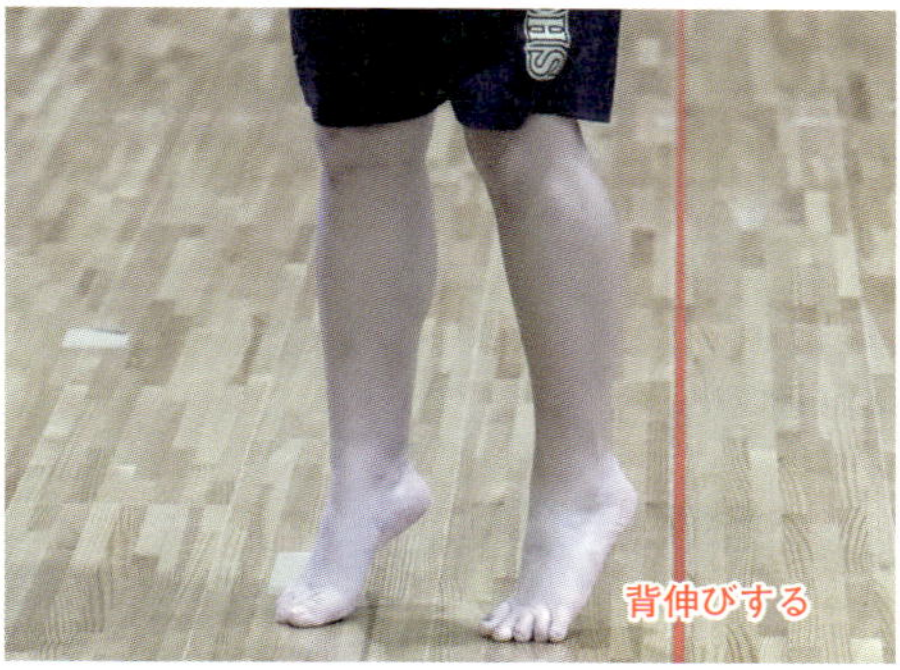

引きつけたら左足を軸に方向転換しよう

Point 3

左右のどちらに方向転換する場合でも、必ず引きつけたら左足を軸にして行うようにしよう。右足を軸として転換してしまうと、次の一歩が遅くなる。また、方向転換する際は、両足の拇指球の付け根に力を入れ、そこを中心にして方向を転換しなければいけない。

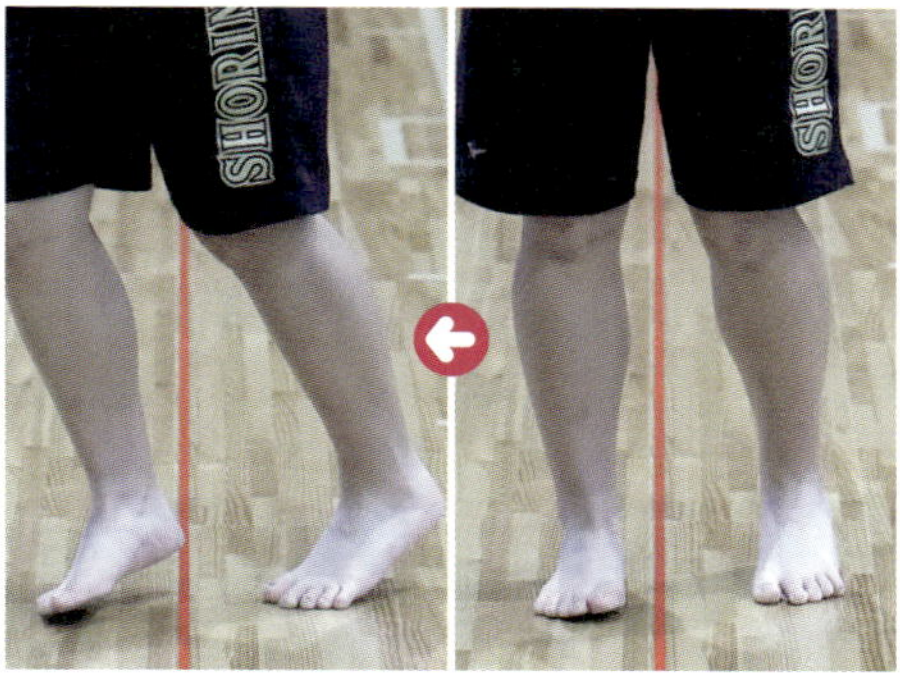

ステップアップ

小さい踏みでも前進する

特に中高生では、一歩を大きく踏み出そうとする傾向が見える。剣道で一足一刀の間とは、一歩踏み出せば打突できる距離のことを言い、必ずしも一歩を大きく踏み出す必要はないのだ。

練習でも踏み込みは大きくせず、その場で踏むくらいのイメージを持っておく必要がある。それでも体は前進していくものだ。

そうして技をつなぐ踏みを覚えるようにしよう。大きく踏むより、足を高く上げず、その場で素早く、力強くを意識して練習することが重要となってくる。

横の踏みの練習の流れ

No.08 足捌き（引き小手、引き胴の踏み込み）

横の踏み込み 右足を交差させ、引き小手、引き胴。捌いての技を意識しよう！

No.07では、左右の方向転換の練習を行ったが、ここでは左真横に捌いての技をイメージした足捌きを練習しよう。

これは引き小手や引き胴など、捌いての技を想定したもので、右足を左足の前を通過させて左側に送って踏み込み、床に着地したと同時に左足を引き戻して構えの足に戻す、というものだ。上体で体をひねり反動をつけて行うのではなく、**正面を向いたまま、足の捌きだけで移動**していくよう心がけることが重要だ。左足の踵は常に浮かせておくことも忘れずに。

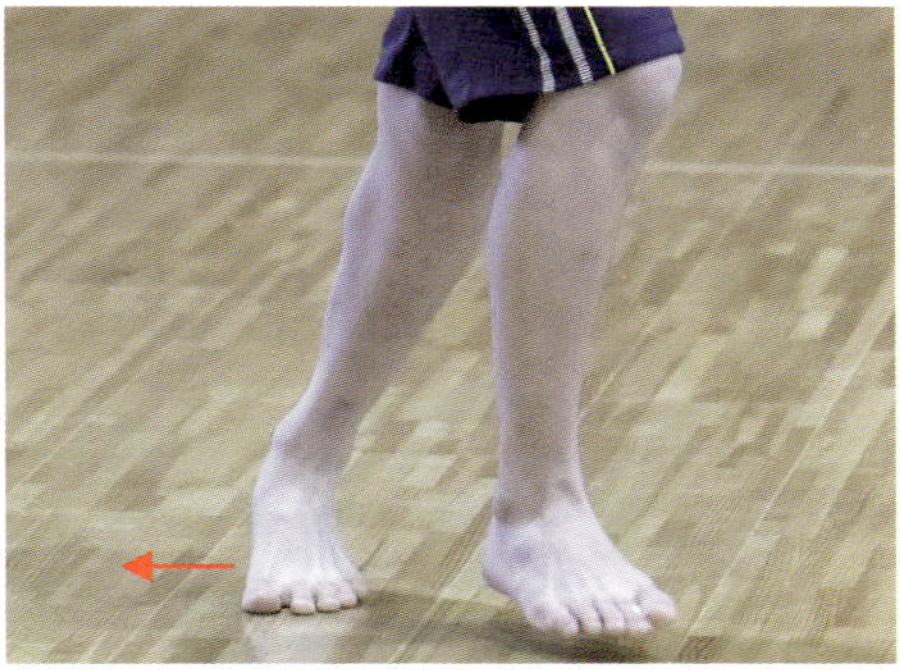

Point 1

左足で右足を横に送り出そう

太鼓の合図などを用いて、素早く右足を横に送り出す。このとき、単に右足を左方向に移動させるのではなく、左足の付け根に力を入れ、左足の拇指球で右足を送る意識を持っておこう。また、右足の足裏が正面から見えないように注意しておくことも重要だ。

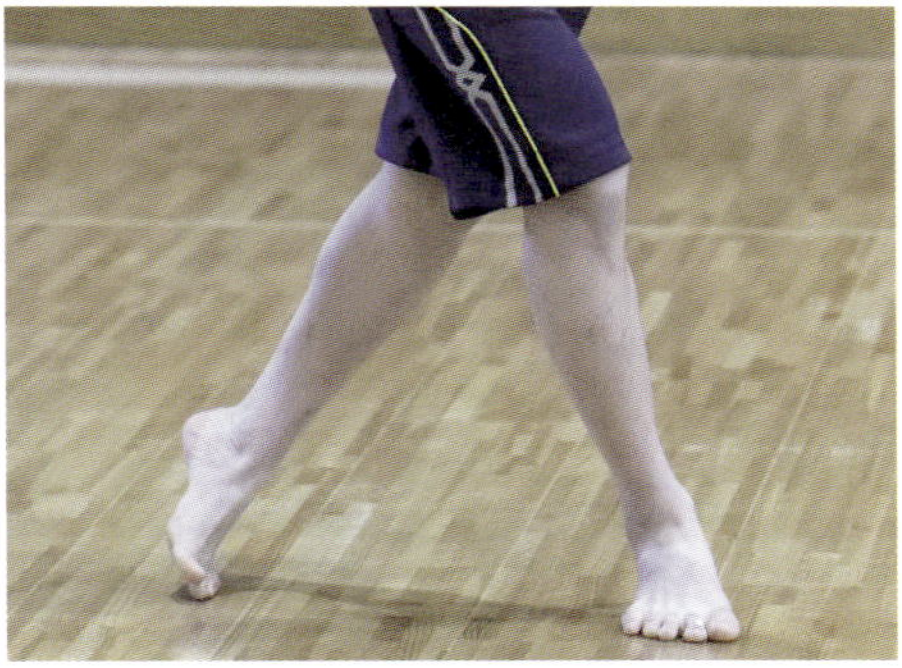

Point 2

右足の着地と同時に左足を引き戻そう

右足を踏み着地させたら、同時に左足を引き戻す。このときは、右足の拇指球の付け根に力を入れ、右足で左足を引きつける意識を持っておく。また、左足は引き戻したとき、構えの足に戻っている位置に着地させ、次の動作に移行できる体勢にしておこう。

Point 3

上体はひねらず足だけで移動しよう

Point1で右足を左に送るとき、上体をひねらせ反動をつけて移動するのではなく、体は正面を向けたまま、足の捌きだけで移動することを意識しておこう。試合で体をひねらせて移動していたのでは、次の技につながらないばかりか、相手に隙を与えることになる。

ステップアップ

慣れてきたら首を左に傾ける

この足捌きに慣れてきたら、ステップアップとして、移動時に首を瞬間的に左に傾ける動きを入れて行ってみるといい。これまでどおり、上体はねじらず、首だけを左に傾けて足を捌く。

この動きを入れることで、より移動がスムーズになる。

左への移動でも、右足を踏む際は、しっかりと足裏全体で床を踏み、次の瞬間には左足を引き戻すために、拇指球の付け根に力が入っている状態を作り出す必要もある。左足は常に踵が床から離れた状態であることも忘れずに。

横の踏みの練習の流れ

No.09 足捌き（鍔迫り合いからの横の踏み込み）

横の踏み込み
左足で踏める有利さを理解しよう！

No.08では、右足を左足の前を通過させて左側に送る横の踏み込みを練習した。ここでは、同じ左方向への移動でも、左足を横に送り出す足捌きを練習しよう。

右足の拇指球の付け根に力を入れ、**右足で左足を左横に送り出す意識**を持っておこう。送った左足はしっかり足裏全体で踏み、膝を使って右足を素早く引き戻す。そして、右足が戻ったら、すぐに構えの足に戻す。そのためには、右足は左足の前、左足の踵は床から浮かせる必要がある。難しい捌きなので、繰り返し練習しよう。

右足で左足を横に送り出そう

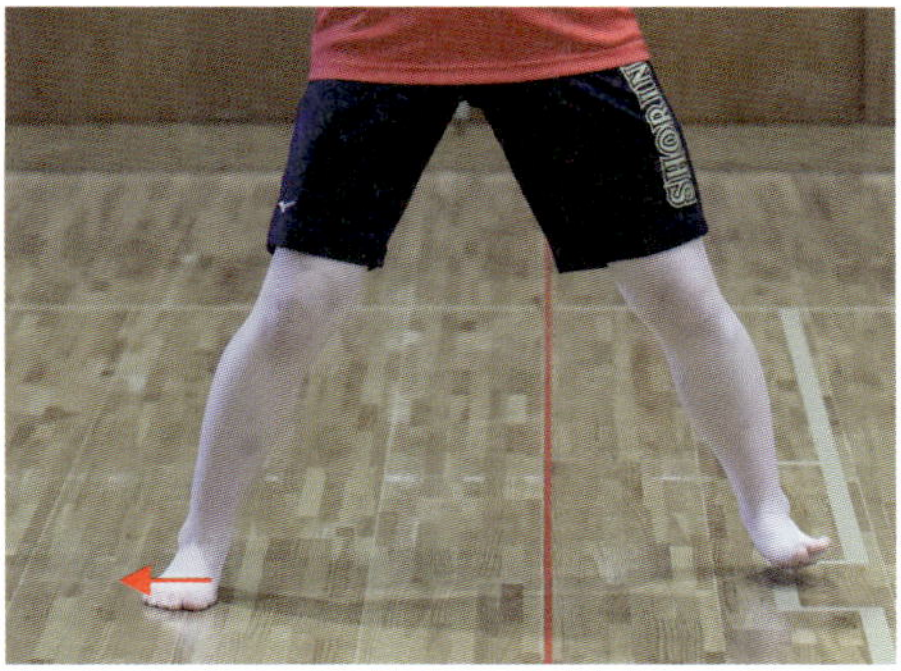

Point 1

太鼓などの合図を用いて、素早く左足を横に送り出す。このとき、単に左足を左方向に移動させるのではなく、右足の拇指球の付け根に力を入れ、右足で左足を送る意識を持っておこう。また、左足の足裏が正面から見えないように注意しておくことも重要だ。

左足の膝を使い右足を引き戻そう

Point 2

左足を踏み着地させたら、膝を使って右足を引き戻すが、このときは、左足の膝を伸ばす動作をして、右足を引き戻すといい。戻したら、すぐに構えの足に戻すよう心がけよう。そのため、右足は左足の前に着地し、左足は膝を伸ばす動作と同時に、踵を床から浮かせておく。

右足で左足を送り、左足の踏み込みに移行させよう

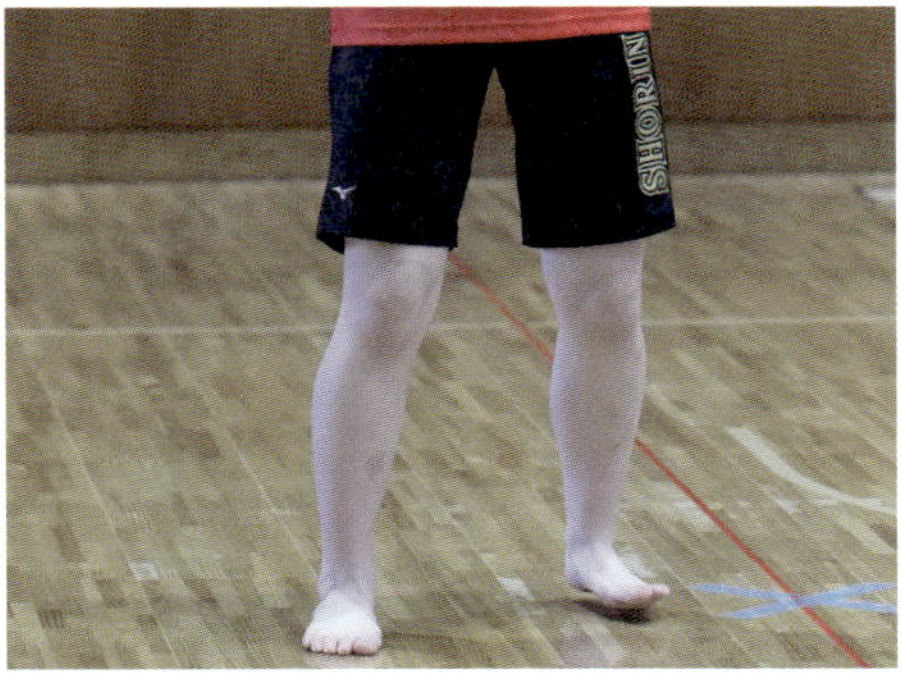

Point 3

Point1で左足を送り踏み込むと説明したが、実際にこの動作を行うのは難しく、単なる送り足になりがちだ。左足を着地させるときは、膝を高く上げず、小さく素早く、そして力強く着地させることを心がけ、しっかりとした踏み込みになるよう練習を重ねよう。

ステップアップ

鍔迫り合いからの仕掛けをイメージする

この練習では、鍔迫り合いから、相手に起こりを見せず技を仕掛けることを想定している。それをしっかり意識して練習しよう。

ただし、この足捌きは、かなり高度で難しいため、しっかり時間をかけ、繰り返し練習する必要がある。

すべての足捌きに共通して言えることだが、これらを体に覚え込ませ、完全に自分のものにできると、試合のとき、それまでの自分との違いを認識できるはずだ。特にこの足捌きでは、高度であるがために、効果は計り知れない。

引き技を意識した踏みの練習の流れ

No.10 足捌き（引き面の踏み込み）

後に踏み込み 引き技を意識させて、引くよりも真上にあがろう！

ここからは引き技の足捌きを練習していこう。ここでは、体当たりからの引き面を想定しているので、それをしっかりと意識しておこう。

まず、右足でその場を強く踏み、右膝の伸縮動作によって、**体を真上に引き上げる**。このとき、右手は、相手の面に竹刀を乗せるイメージで、曲げた状態から腕を伸ばす。両足が浮いたら、次の動作に移行するためにも、必ず左足から着地させよう。もちろん、両足が着地したときには、構えの足に戻っていることが重要となる。

右手右足で踏み面を打突させよう

Point 1

太鼓の合図などを用いて、素早く反応し、その場で右足を小さく強く踏もう。ここでは鍔迫り合いからの引き面を想定しているので、臍の前に置いていた右手は、踏みと同時に、竹刀を相手の面の上に乗せるイメージで腕を伸ばしていく。

右手右足の動作で体を真上に引き上げよう

Point 2

Point1で、右足の踏み込みによる膝の伸縮と、右手の打突をイメージした腕の引き上げ動作の両方の力を利用し、体を真上に引き上げよう。引き面だからといって、後方に下がる必要はない。この練習では、あくまで体を真上に引き上げる意識を持っておこう。

左右の順に着地しよう

Point 3

剣道では、両足が宙に浮いた場合、必ず左足、右足の順で着地させよう。右足から着地してしまうと、次の動作への移行が遅くなってしまい、技を展開させられないばかりか、相手に隙を与えることにもなる。同時に着地してもいけない。必ず左足からと心得ておこう。

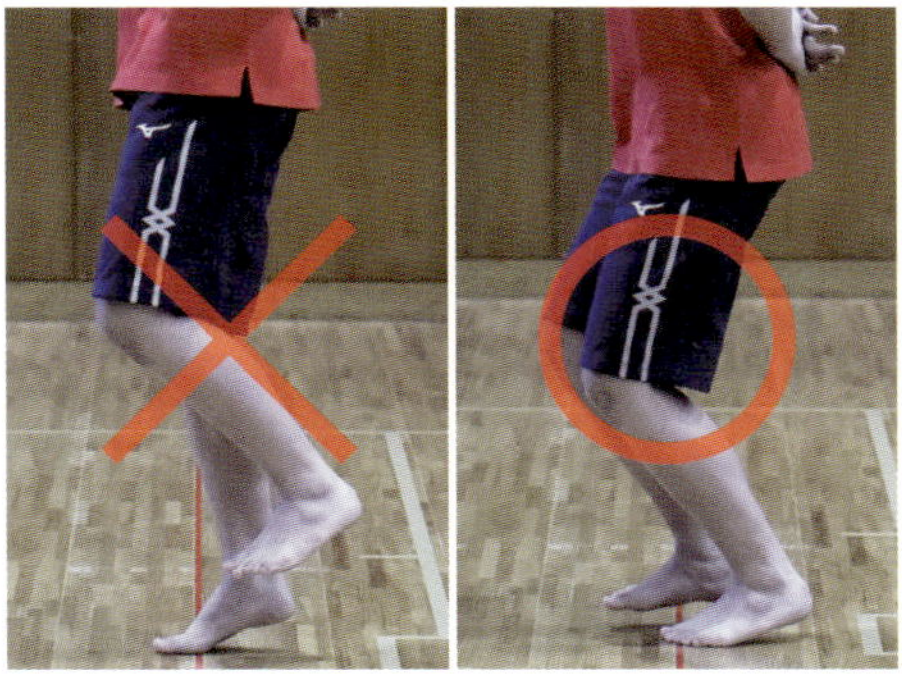

ステップアップ

後方に移動してしまうと相手との間ができてしまう

この足捌きでは、引き技を想定しているが、引くというよりも、体を真上に引き上げるよう指導している。実際に行ってみると理解できることだが、真上にあがるイメージで行っても、体は後方に移動する。

このことを理解すると、引く意識を強くしてしまった場合には、打突のときに相手との間が開きすぎてしまい、効果的な打突を行うことが難しくなることが分かる。体を真上に引き上げるくらいのイメージで、打突に適した間を作ることができるのだ。

面・引き面を意識した踏みの練習の流れ

No.11 足捌き（面から引き面の踏み込み）

入りから面の踏み込みを行い、振り向きざまに引き面の踏みを行おう！

ここでは技のつなぎとしての足捌きを練習してみよう。面から引き面をイメージした足捌きだ。

No.02で練習した入りからの勢いを利用し、面の踏み込みを行う。その後、踏んだ右足を軸にして左回転し、体勢を入れ替える。左足が着地すると同時に右足を踏み、No.10で練習した引き面の足捌きの要領で、踏んだ勢いと膝を使い体を引き上げる。

つまり、No.02の面の足捌きと、No.10の引き面の足捌きを連続して行い、**技のつなぎを意識しながら練習する**ことに意義がある。

入りからの勢いを利用し面の踏みを行おう

Point 1

No.02で練習したように、左足の拇指球に付け根に力を入れ、しっかりと体重を乗せて右足を送り、面の踏み込みを行う。実際の試合でも同じだが、技のつなぎだからといって、この踏み込みが疎かになってはいけない。しっかりと面を打突するイメージを持っておこう。

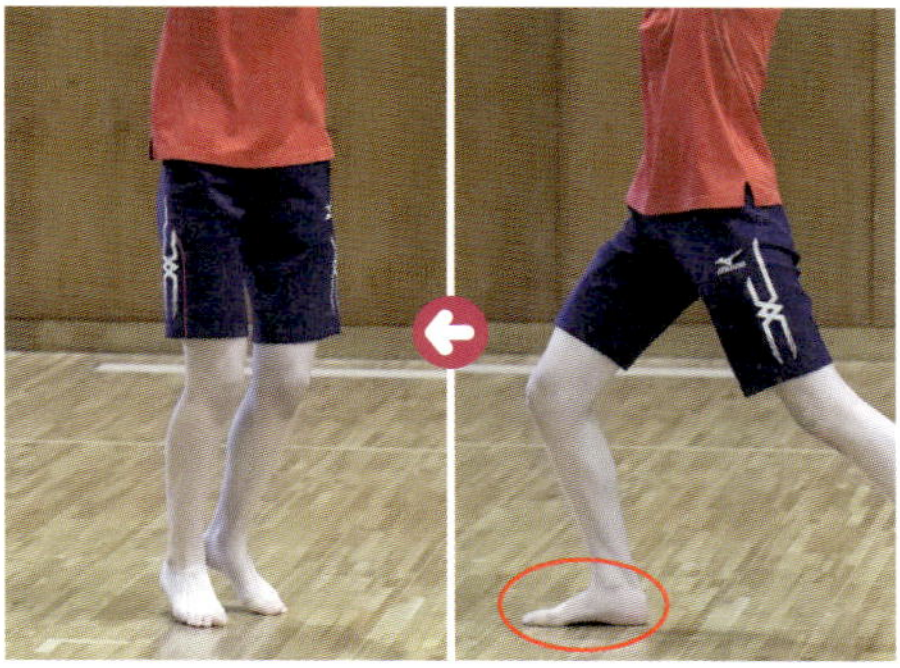

踏んだ右足を軸に左に回転しよう

Point 2

Point1で、右足の踏み込みを行ったら、左足を引きつけるのではなく、その勢いのまま右足を軸に、体を左回りに回転させる。このとき、左足は床を擦るのではなく、床から紙一枚分浮かせるようなイメージで移動させるといい。左膝が曲がり過ぎてもいけない。

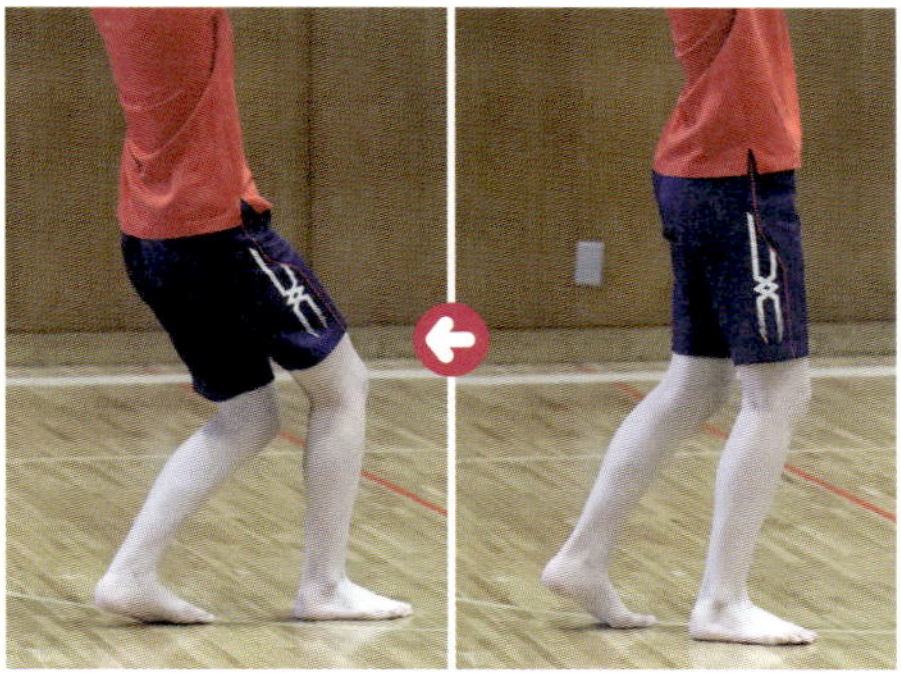

左足が床につくと同時に右足を踏み体を引き上げる

Point 3

左回りの回転で方向転換し、左足が床に着いたら、それと同時に、右足を踏み込む。No.10で練習した引き面の要領で、しっかりと足の裏全体で床を踏み、その勢いと膝を使って体を引き上げる。両足でジャンプするのではなく、右足の踏みと、右足の膝で体を引き上げる。

ステップアップ

スピードを落とさず移行していく

この足捌きでは、面から引き面につなぐ足捌きを想定しているが、ひとつひとつの打突に間ができてしまっては、技のつなぎとはならない。そのためには、最初の右足の踏み込みから回転、引き面の足捌きまでを、スピードを落とさずに移行させることが重要となるので覚えておこう。

また、No.10でも触れたが、両足が浮く足捌きの場合は、着地は必ず左足から行おう。両足同時はもちろん、右足から先に着地させてしまうようでは、即座に次の動きに移行できなくなってしまう。

技をつなぐ踏みの練習の流れ

No.12 足捌き（小手面から引き面の踏み込み）

入りから小手面の踏みを行い、振り向きざまに引き面の踏みを行おう！

技のつなぎとしての足捌きに関して、ここではもうひとつのパターンを練習してみよう。小手面から引き面をイメージした足捌きだ。No.06で練習した入りからの勢いを利用し、小手面の踏み込みを行う。その後、**踏んだ右足を軸にして左回転**し、体勢を入れ替える。左足が着地すると同時に右足を踏み、No.10で練習した引き面の足捌きの要領で、踏んだ勢いと膝を使い体を引き上げる。つまり、No.06の小手面の足捌きと、No.10の引き面の足捌きを連続して行い、技のつなぎを意識しながら練習しよう。

入りからの勢いを利用し 小手面の踏みを行おう

Point 1

No.06で練習したように、左足の拇指球の付け根に力を入れ、しっかりと体重を乗せて右足を送り、ひとつ目の右足の踏みを小さく強く、ふたつ目の右足の踏みをさらに遠く送り出して、着地させると同時に左足を引きつけて、次の準備を行うようにする。

踏んだ右足を軸に 左に回転しよう

Point 2

Point1で、右足を着地させたら、その勢いを落とさないようにしながら、右足を軸に、体を左回りに回転させよう。このとき、左足は床を擦ったり上げたりするのではなく、床から紙一枚分浮かせるようなイメージで移動させるようにするといい。

左足が床につくと同時に 右足を踏み体を引き上げる

Point 3

No.11同様、方向転換し、左足が床に着いたら、同時に、右足を踏み込む。No.10で練習した引き面の要領で、しっかりと足の裏全体で床を踏み、その勢いと膝を使って体を踏み上げよう。両足でジャンプするのではなく、あくまでも右足の踏みと、右足の膝で引き上げる。

ステップアップ

スピードを落とさず 回転・打突する

No.10も同様だが、実際の試合で技をつなぐとき、180度の回転を伴うことは稀であると言っていい。しかし、これは練習であり、わざと大げさに行うことで、体が覚えやすくなるという効果があるのだ。また、このように大きな動きを、スピードを落とさず瞬時に行うことで、体のキレやバランス感覚を養うことにもつながり、実際の試合では、よりスピーディに、力強く、そして正確に技をつなぐことができるようになるのだと心得ておいてほしい。

敏捷性を養う練習の流れ

No.13 足捌き（敏捷性を養う）

小刻みにその場で踏み、合図で踏み込んで敏捷性を養おう！

剣道の試合では、打突のとき、いかに瞬時に反応し、素早く技に移行できるかが、大切なポイントのひとつになると言っても過言ではない。

そこで、ここでは、反応を速くし、敏捷性を養う足捌きの練習を行うことにしよう。

まずは両足の拇指球の付け根を意識し、両足で小刻みに踏む。そして、**太鼓などの合図で素早く反応**し、左足で右足を送り、瞬時に前に踏み込む。踏み込んだら、すぐに左足を引きつけ、細かく早く送り足で移動しよう。

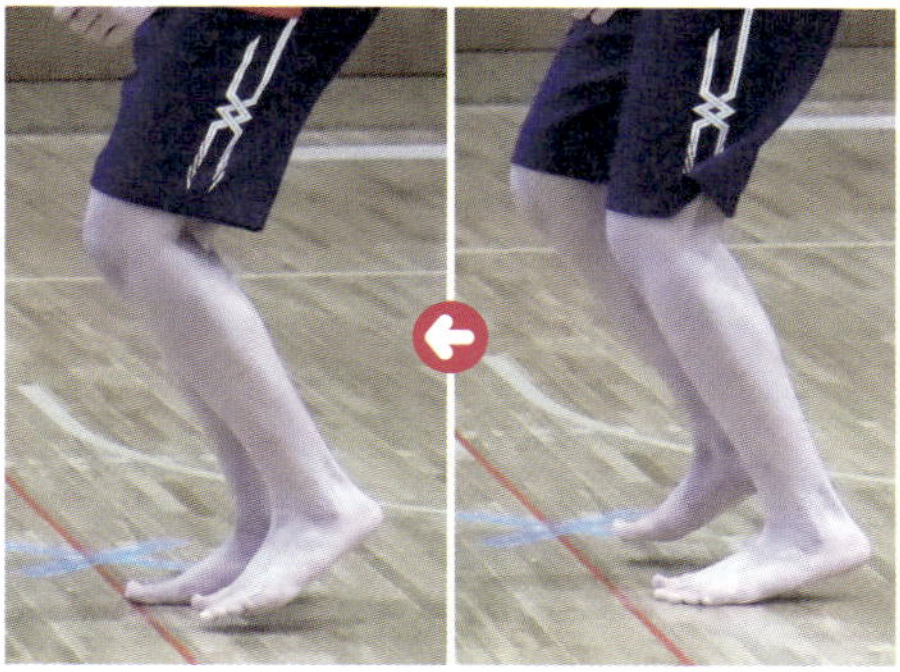

両足で小刻みに踏もう

Point 1

まずは両足で小刻みに踏みを行う。このとき大切なのは、小刻みになることに意識を集中させるのではなく、拇指球の付け根を意識し、そこでしっかりと床を踏むよう心がけることだ。その上で、小刻みな踏みを、できるだけ速く行うことが望ましい。

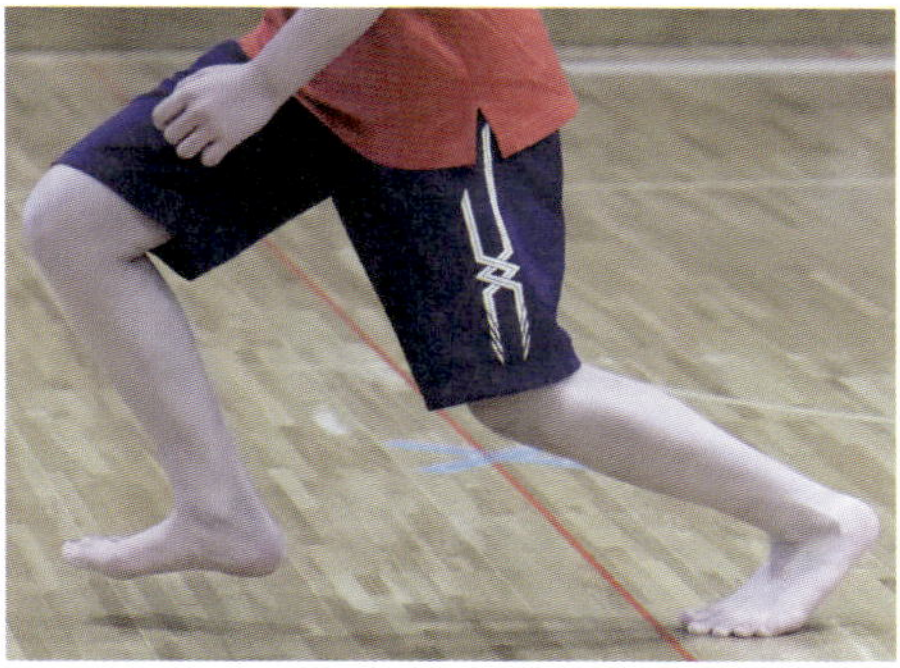

合図に素早く反応し、瞬時に前に踏み込もう

Point 2

小刻みな踏みを行いながら、太鼓などの合図に対し、素早く反応して、瞬時に前に踏み込もう。大切なのは、合図に対して、どれだけ素早く反応できるかだ。瞬間的に反応できる敏捷性を養うことに意義がある。踏み込むときは、左足で右足を送ることを忘れてはいけない。

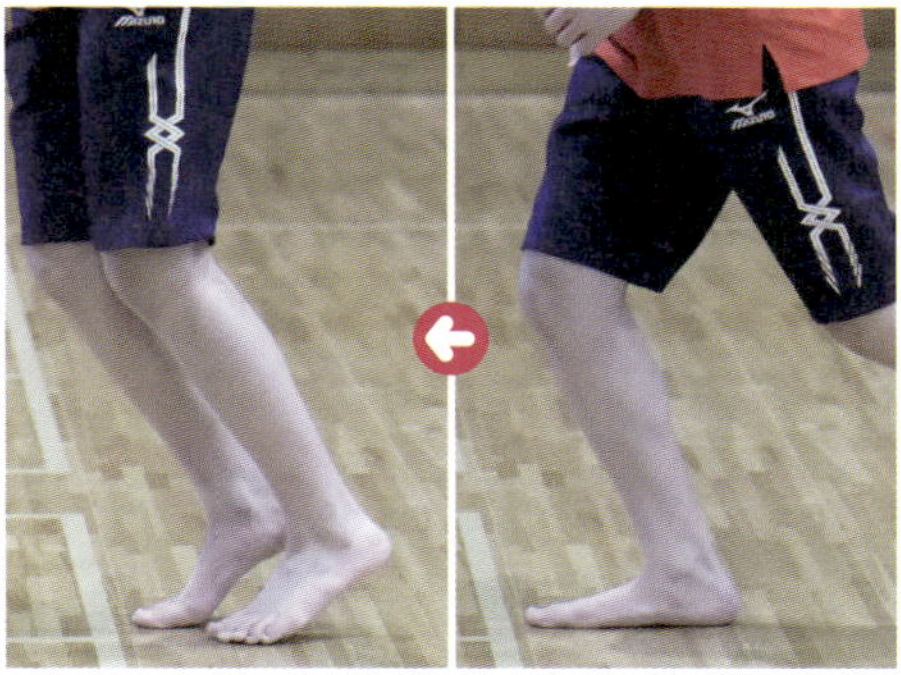

踏み込んだら左足を引きつけ送り足で移動しよう

Point 3

右足を踏み込んだら、すぐに左足を引きつけることを意識しよう。この動作が遅くなると、次の動作に移行するのが遅くなってしまう。左足を引きつけたら、細かく速く送り足で前方に移動していく。相手を追いこんでいくイメージを持っておくようにしよう。

ステップアップ

反応を速くし敏捷性を養う

本文でも触れたが、この練習は、足捌きはもちろんのこと、敏捷性を養う目的でも行っている。

剣道では、瞬間的に動く敏捷性が大切だからだ。そのため、小刻みな踏みや送り足などの一連の動きももちろん重要だが、ここでは合図に対する反応の速さ、瞬時に反応することに対し、強い意識を持ちながら練習するようにしよう。

0・1秒、いや0・01秒でも速く反応する。このような意識を常に持ち、相手を打突するイメージで行うことが大切だ。

歩み足から踏みの練習の流れ

No.14 足捌き（送り足からの踏み込み）

送り足で相手を追い込み、最後の右足で踏み込み打突につなげよう！

剣道の試合で、相手が後方に引いていく場合がある。引き技の後などが、それに当たる。このとき、**相手を素早く追っていき**、追いこんで打突につなげられると、隙を与えず、相手が立て直す時間的な余裕をも奪うことができるようになる。あるいは、相手が遠い距離にいる場合なども同じだが、短時間で間を詰めることができると、相手を威圧できるようになるだけでなく、焦りを覚えさせることもできる。

　そこで、ここでは送り足の足捌きを練習しておこう。

第一歩の右足を大きく出そう

Point 1

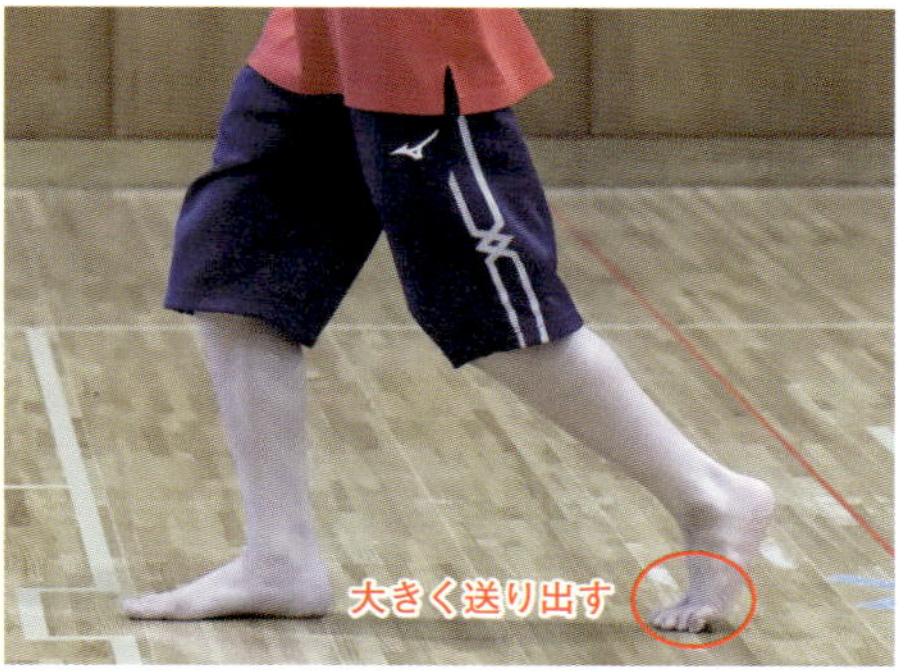

一歩目の右足を出すときは、左足の拇指球の付け根にしっかり力を入れ、左足で右足を送ろう。また、一歩目を大きく出すことも重要だ。大きく送り出すことで、送り足に勢いをつけることができ、より素早く相手を追い込むことができるようになる。

送りながら移動し、右左右の後、左足を引きつける

Point 2

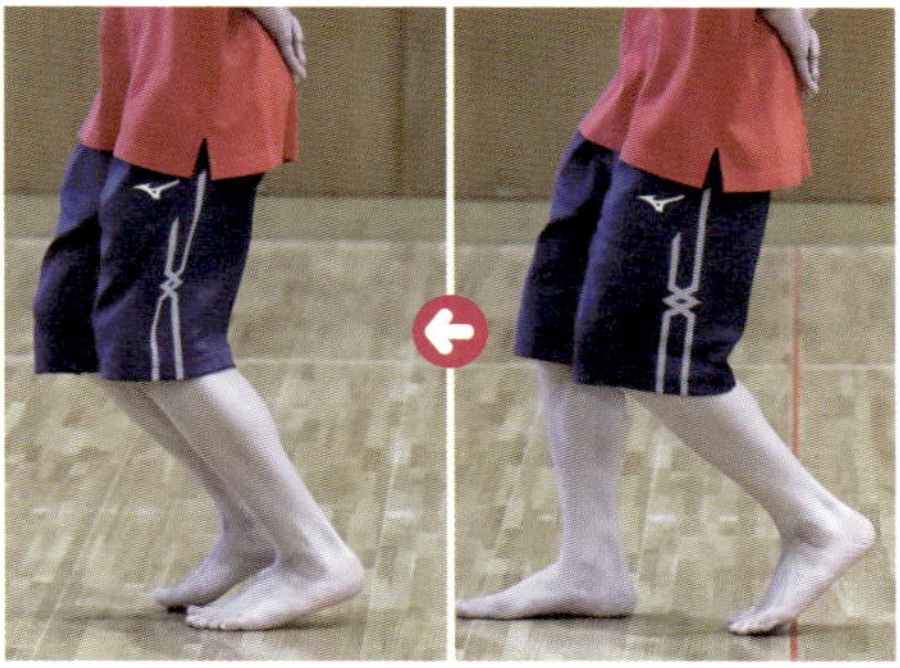

歩み足とは違い、ここでは右足を前に出したあと、左足は右足を追い越し、歩くように移動する。右左右と歩みながら移動し、最後の右足を出した後、素早く左足を引きつけ、打突などの次の動作につながる準備を行う。左足の引きつけが一瞬の攻めと間につながる。

拇指球の付け根に加重し背伸びをして止まろう

Point 3

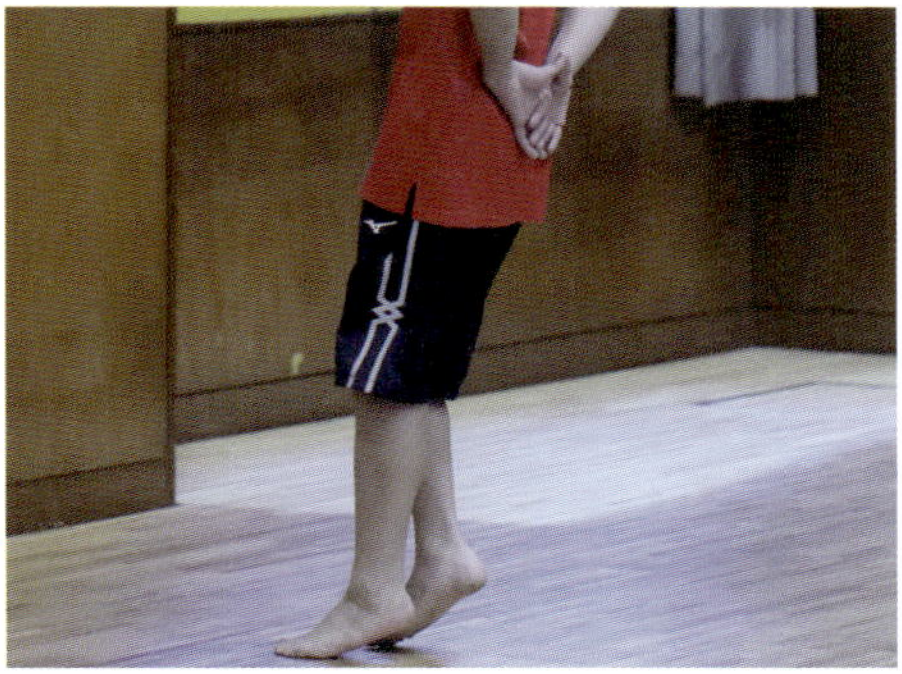

Point2で左足を引きつけたら、両足の拇指球の付け根を意識し、そこに体重を乗せるようにして止まる。また、このときは、両足のかかとは床から浮いた状態で、背伸びをした状態で止まるように心がけよう。これは、腰が落ちるのを防止するためだ。

ステップアップ

勢いにまかせた打突は逆に危険

剣道のコートは、一辺が10メートル程度なので、実際の試合で歩み足を利用し相手を追い込むとしても、ほんの数メートルの移動で事足りるはずだ。それを理解し、送り足の練習を行おう。

一歩目を大きく出して勢いをつけたとしても、思うように止まれず、相手側に流れてしまうと、逆に危険な状況になってしまう。

「スススッ」と間を詰めて追い込んで行き、「ツッ」という左足の引きつけで相手の動きをうかがい技に移る、そんなイメージを持っておくといい。

追い込み足から面・小手面踏みの練習の流れ

No.15 足捌き（追い込み足から小手面の踏み）

歩み足、追い込み足の応用
追い込み足から面の踏み
追い込み足から小手面の踏み

No.14では、歩み足、追い込み足の足捌きを練習した。この足捌きをしっかり理解、修得したら、**相手を追い込んでからの打突をイメージ**した練習を行おう。ここでは、小手面のイメージで行ってみる。まずはNo.14で行ったように、一歩目の右足を大きく出し、左右と歩んで、最後に左足を引きつけ、両足の拇指球の付け根に力を入れて止まる。そして、「スースースーツ・タン」というイメージで、歩み足から素早くスムーズに面、あるいは小手面の踏みを行うようにしよう。

追い込み足から素早く面の踏みを行おう

Point 1

No.14の要領で、相手を追い込んでいくイメージで、まずは歩み足（追い込み足）を行う。最後の右足の一歩を前に出したら、瞬時に左足を引きつけて、左足で右足を送り、面の踏みを行う。歩み足から勢いが止まらず、体が前方に流れたままで行わないように注意しよう。

追い込み足から素早く小手面の踏みを行おう

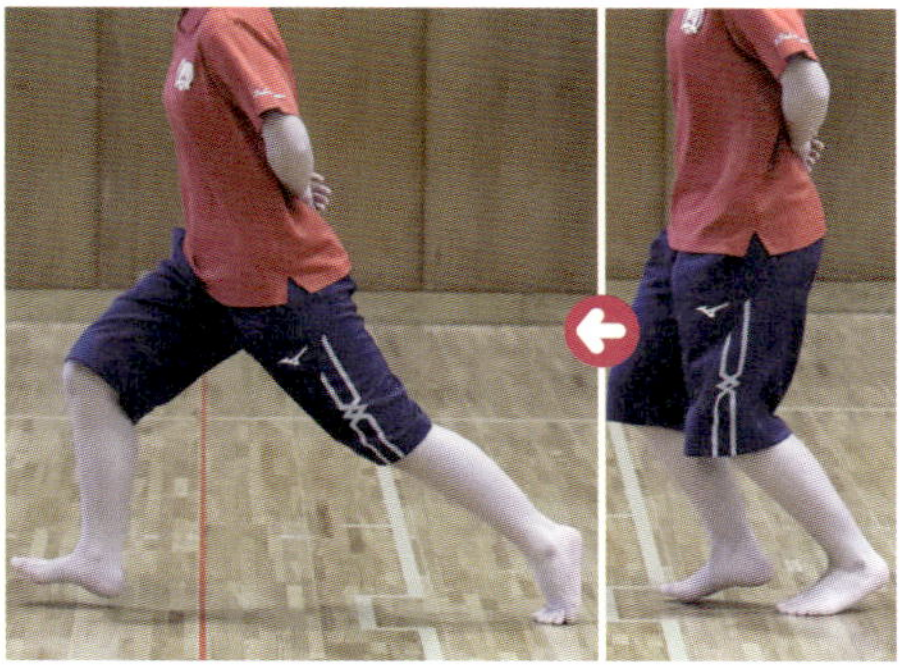

Point 2

Point 1同様、歩み足からNo.06で行った小手面の踏みを行う。まずは小さく強く右を踏み、さらに遠くに右足を送り出してから左足を引きつける。スムーズな連続した動きでも、歩み足での前方への力は完全になくなり、体が止まっていることを確認しよう。

素早くスムーズに踏みに移行しよう

Point 3

面の踏み、小手面の踏みのどちらにも共通しているが、本文でも触れたとおり、「スースー（歩み足）ッ（停止・左足の引きつけ）・タン（右足の踏み）」を素早くスムーズに行うことが大切だ。ひとつひとつの動きを切れ目なく、しかも確実に行うよう心がけよう。

ステップアップ

一瞬の攻めと間を修得する

No.14でも触れたが、歩み足、追い込み足が修得できると、引いていく相手を追い込んだり、遠い間にいる相手に対し、短時間で間を詰めることができるようになる。

しかし、隙を与えず、威圧感を与えることが、試合での主たる目的ではない。当然、目的は試合に勝つことであり、つまり一本を取ることだ。

したがって、歩み足の後、どのように間を詰め、それを打突につなげるかが重要であり、これこそが主たる目的となる。これを念頭に練習に励もう。

跳躍素振りの足捌きの流れ

No.16 足捌き（跳躍素振りの足捌き）

跳躍素振りの足捌き 両足跳びにならないよう、重心の移動と足の使い方を覚えよう！

剣道の稽古の中に「跳躍素振り」というのがある。これは素振りである以上、本来なら竹刀を持って行うものだが、ここではあえて竹刀を持たず、足捌きだけで練習してみる。竹刀を持ってしまうと、足捌きが疎かになりがちだからだ。要領は通常の跳躍素振りと同じだが、足捌きの練習なので、特に**足の使い方だけに意識を集中**し、正しい方法を身につけるよう心がけよう。また、太鼓などの合図に合わせて行い、反応をよくする練習も兼ねて行うと、さらに効果的と言える。

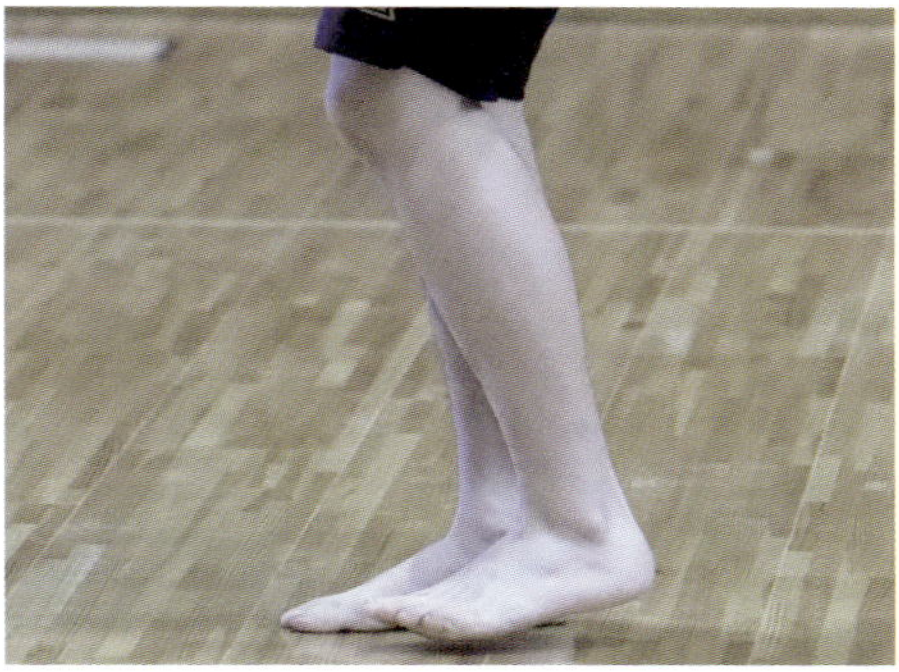

引きつけ足を床につけない

Point 1

跳躍素振りの足捌きで最も重要なのは、前方への跳躍、後方への跳躍とも、引きつけ足を床につけないことだ。前方への跳躍なら左足、後方への跳躍なら右足が引きつけ足に当たる。つまり、常にどちらか片方の足だけが床についている状態を保つことが重要だ。

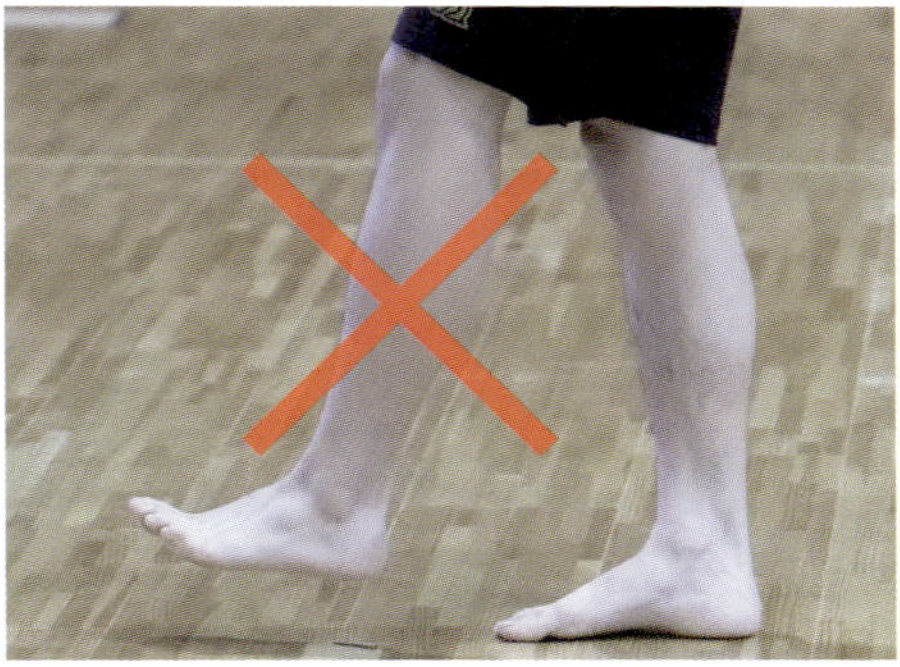

引きつけ足の左足が極端に右足を越えない

Point 2

前方への跳躍のとき、引きつけ足となる左足が、極端に右足を越えるようにに蹴り出さないよう注意しよう。剣道では、No.15の歩み足以外、基本的に左足は右足の前に出ることはなく、また、後方への跳躍の際、左足の着地が遅れる原因にもなってしまうからだ。

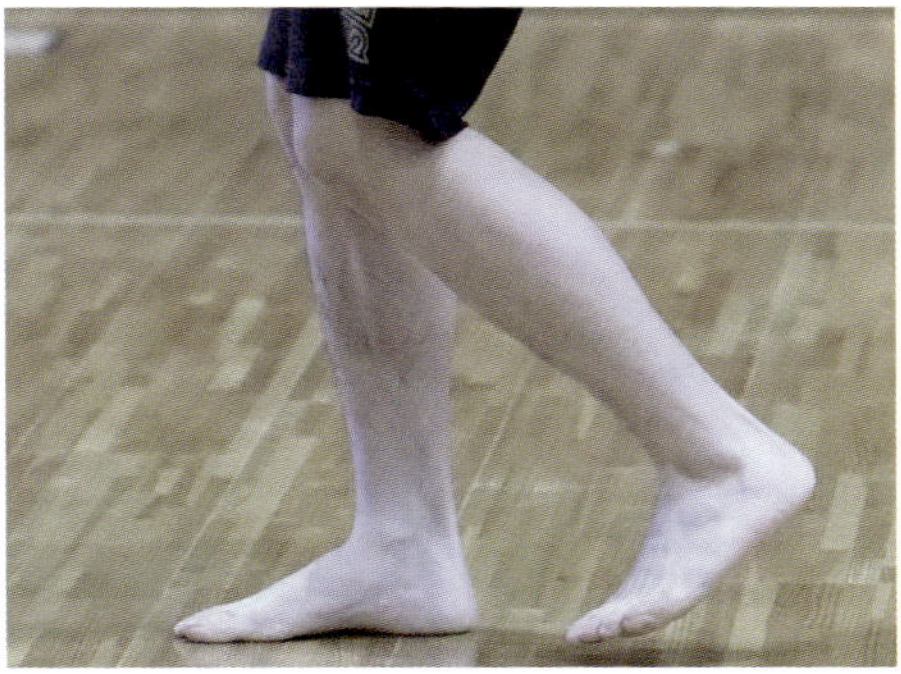

引きつけ足の左足の膝が折れないように

Point 3

前方への跳躍のとき、引きつけ足となる左足の膝が折れてしまわないように注意しよう。素振りはあくまでも打突が目的であり、膝が折れる癖がついてしまうと、打突の際も、膝が折れてしまう。こうなると、腰が落ち、正しい姿勢、打突ができなくなる。

ステップアップ

竹刀を持つと足捌きが疎かに

素振りである以上、通常は竹刀を持って行うものだが、経験上、跳躍素振りを竹刀を持って行うと、両足跳びになってしまったり、ポイントで解説したような引きつけ足が正しく行われなかったりと、大切な足捌きが疎かになってしまう傾向がある。その結果、実際の素振りにも大きく影響し、正しい竹刀の振り方が行えない、という悪循環に陥る。

そのため、素振りの前段階として、このような練習は有意義と言える。合図で行うようにすると、反応をよくすることにもつながる。

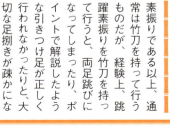

跳躍素振りの足捌きの流れ（応用）

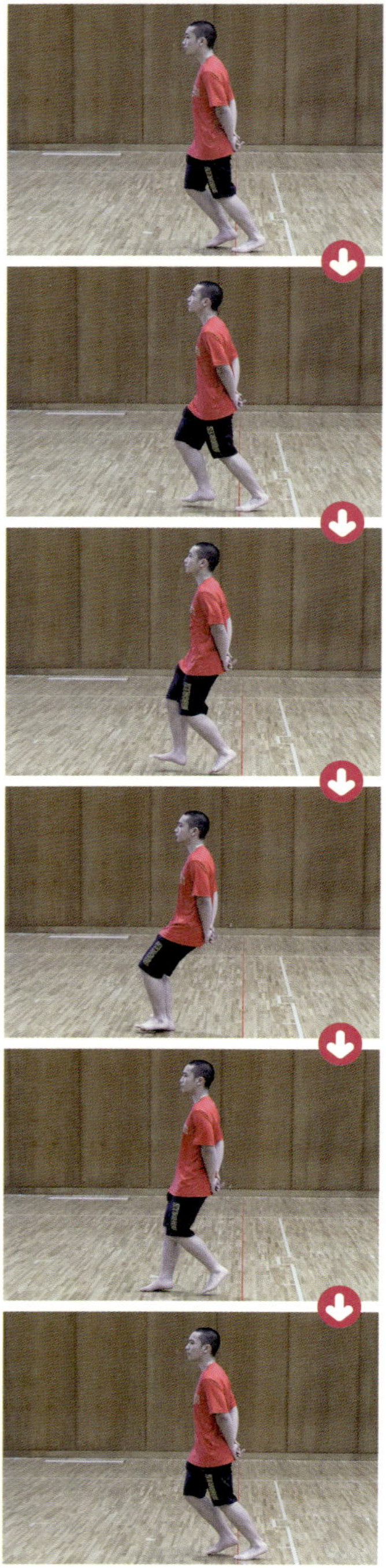

No.17 足捌き（跳躍素振りの足捌きと踏み）

跳躍素振りの足捌きの応用
前方に跳躍するとき、
踏み込み動作を入れよう！

No.16では、跳躍素振りの足捌きを練習した。ここでは、その応用として、前方に跳躍したとき、単なる跳躍ではなく、踏み込みの動作を入れて練習してみよう。

踏み込みの強さは、そのまま打突の強さに直結する。跳躍のように踏み込みが弱ければ、当然、打突も力強さがなく、効果的なものとはならない。逆に、踏み込みが強ければ、効果的な打突となりえるのだ。要領はNo.16同様、竹刀を持たず足捌きに意識を集中し、前方の跳躍を踏み込み動作に変えるだけだ。

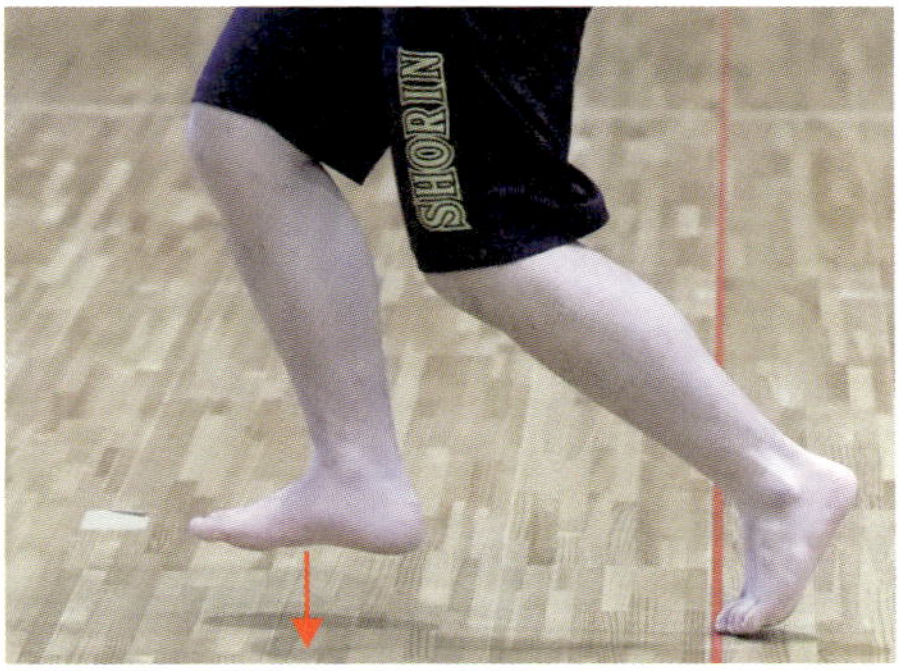

踏み込みは小さく真上から踏みおろそう

Point 1

前方に跳躍するタイミングで、踏み込みを入れよう。このとき、踏み込みは小さくて構わない。ただし、右足の足裏全体で床を踏む意識を持ち、真上から踏みおろすように注意しながら行うことが重要だ。踵から踏むと、怪我や戻り足の原因となってしまうので注意。

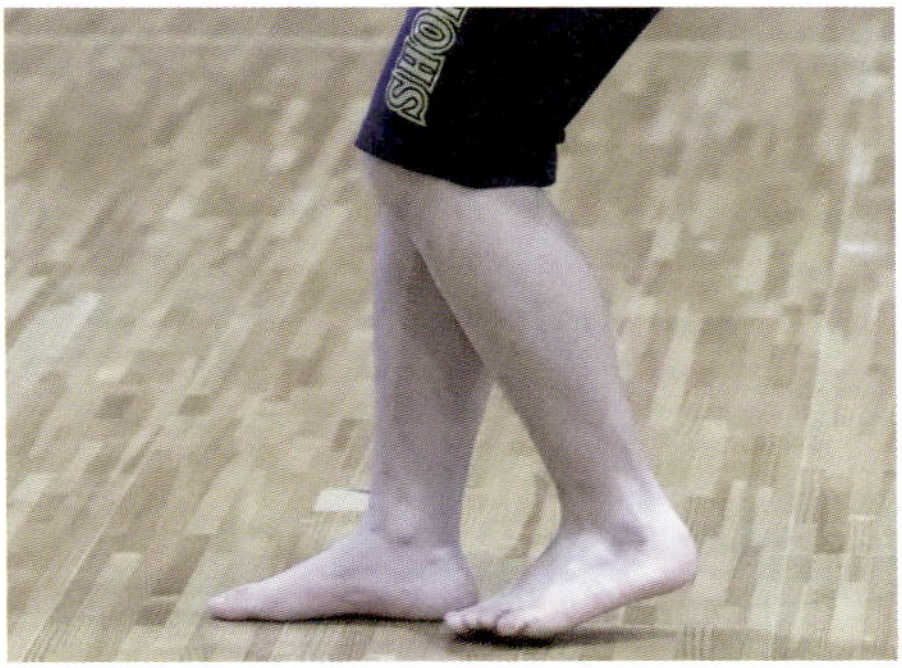

左足の引きつけを速くしよう

Point 2

右足で強く踏みおろすためにも、左足の引きつけを速く行うことが重要になる。左足の引きつけを速く行おうとすれば、おのずと右足の膝を伸ばそうとするものだ。左足の引きつけが右足の踏みの強さを生み、右足の踏み込みが左足の引きつけの速さを生む。

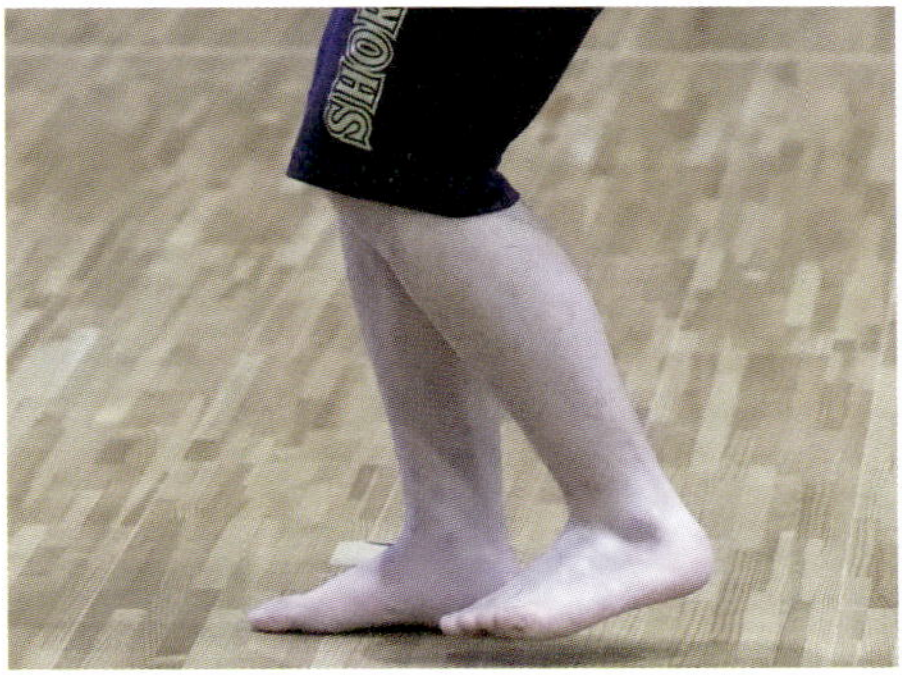

「ドン・ドン」は○「パン・パン」は×

Point 3

正しい踏み込みができているかどうかのひとつの目安として、床を踏んだときの音に注意しよう。体重移動がうまくできていて、正しい踏み込みができていると、「ドン」という音がする。逆に、「パン」と乾いた音がしたときは、正しい体重移動ができていない。

ステップアップ

力強い打突と怪我防止

正しく力強い踏み込みができていると、それは力強い打突にもつながる。

剣道では、竹刀を打突部位に当てただけでは一本は取れない。「気剣体一致」の言葉どおり、気持ちと竹刀操作、正しい打突部位への正確な打突のすべてが揃って一本となるのだ。

また、正しい踏み込みは、怪我防止の観点からも、疎かにしてはいけない。

特に踵から着地するような踏み込みでは、踵はもちろん、膝への負担も大きく、致命的な障害を引き起こす可能性もある。

合図で踏んでターンの練習の流れ

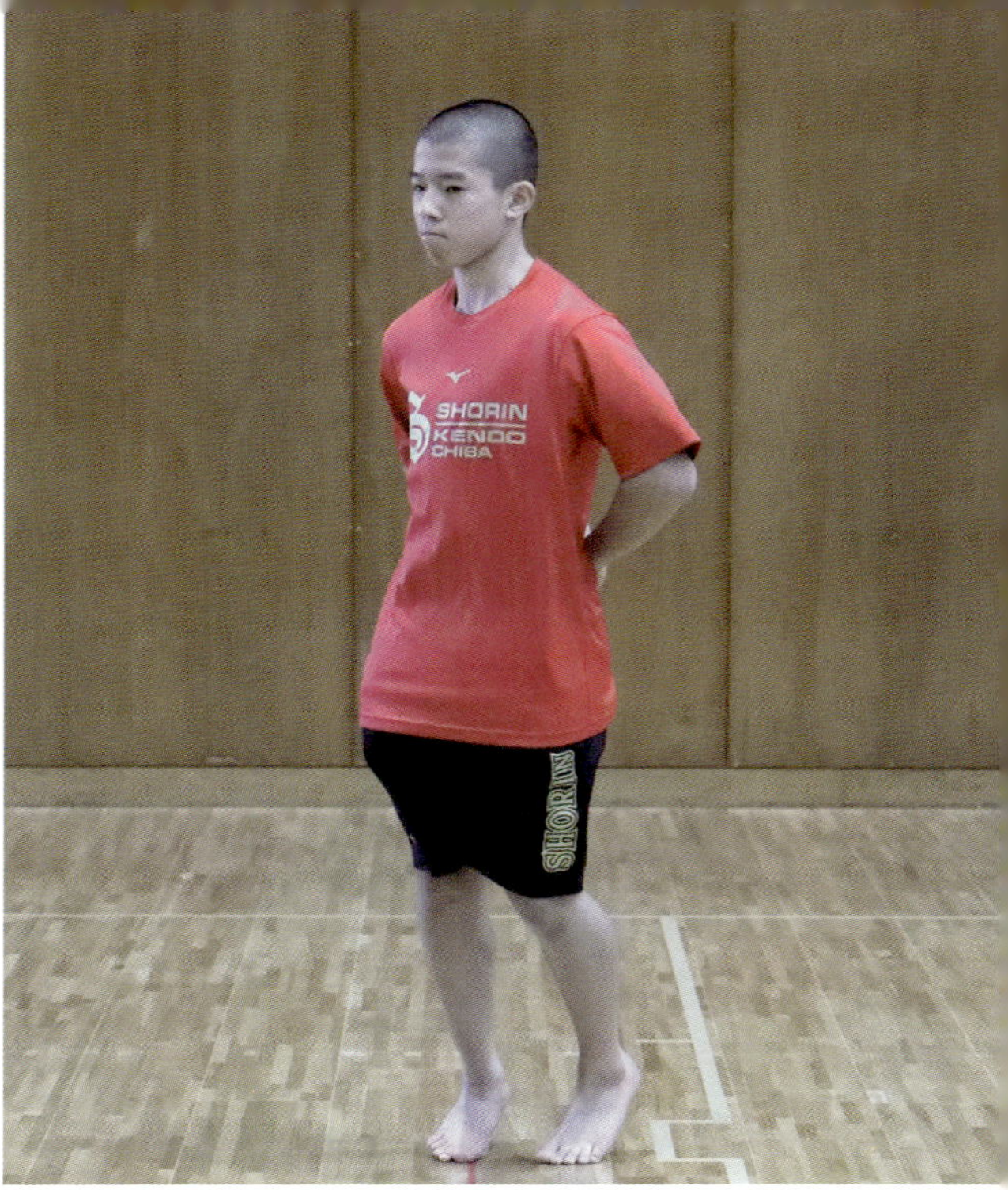

No.18 足捌き（踏み込みターン）

合図で踏んでターン 振り向きざま、いつでも攻撃できる体勢づくり

No.11、12では、振り向きざまの技のつなぎとしての足捌きを練習したが、ここでは、合図で踏み、その後すぐにターンして、**振り向きざまにいつでも攻撃できる体勢を作る**練習をしてみよう。

まず、太鼓などの合図とともにその場で右足を踏み、拇指球の付け根に加重し右膝を伸ばす。その後、右足を軸に左に回転するように左足を引いて逆方向に向く。振り向き終わったら、しっかりと左足の拇指球の付け根を意識して左足に加重し、右足を踏み出す準備をしよう。これを何度も繰り返す。

その場を真上から踏み右膝を伸ばそう

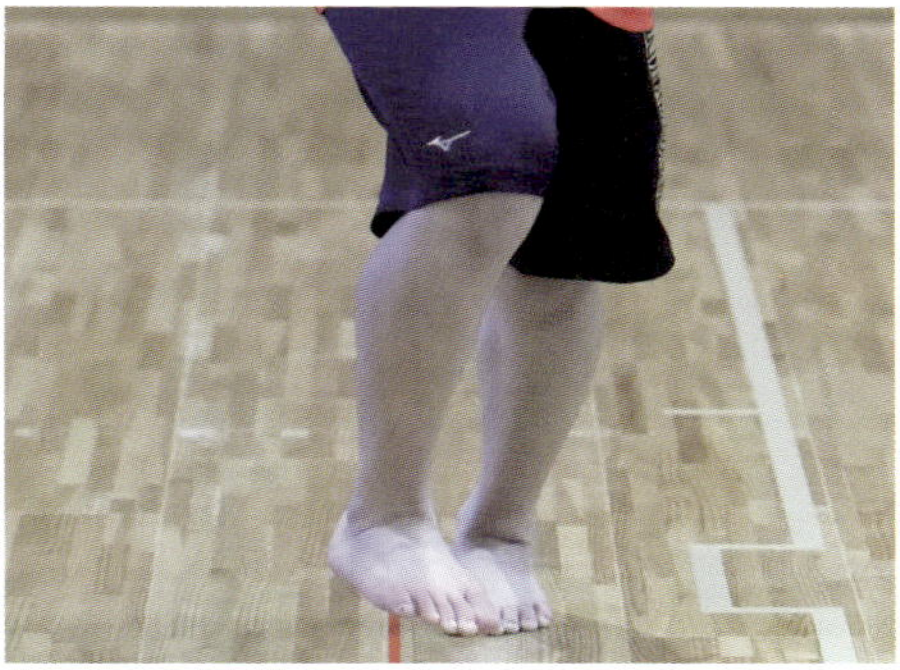

Point 1

合図などに素早く反応し、その場で右足を踏もう。このとき、小さく素早く、真上から踏むことが重要だ。そして、踏んだら拇指球の付け根を意識し、そこに加重して右膝を伸ばそう。この右足がターンするときの軸足になることも、しっかりとイメージしておこう。

左足を引き回転しよう

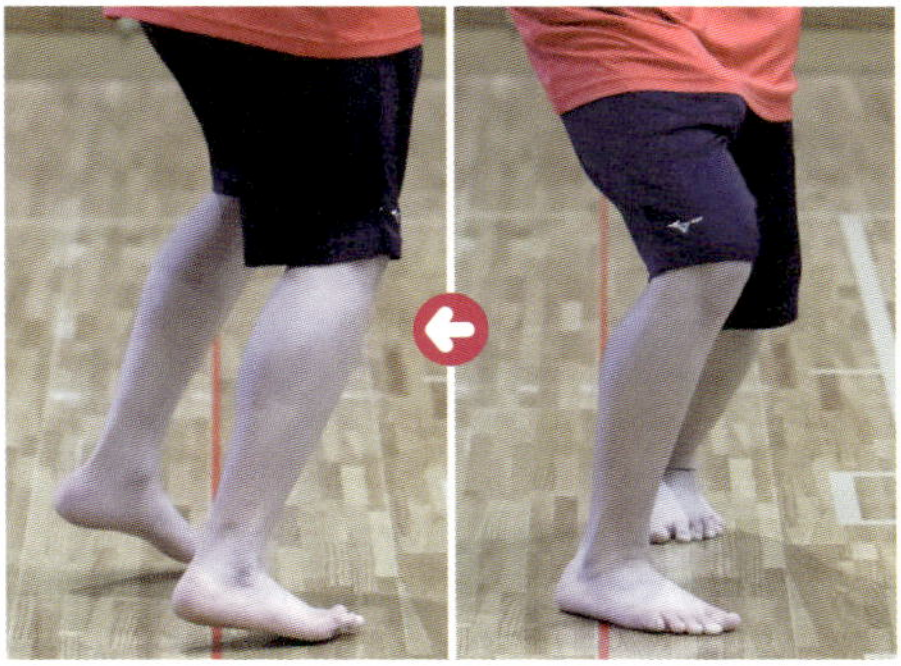

Point 2

右足を軸にしたら、左足を引くようにして左回りに回転しよう。これで逆方向を向くことができる。このとき、左足を引く速さに注意。引きの速さは、そのまま回転の速さにつながるからだ。速く引けば引くほど、回転も速くなり、より短時間で逆方向を向くことができる。

左足に加重し踏み出す準備

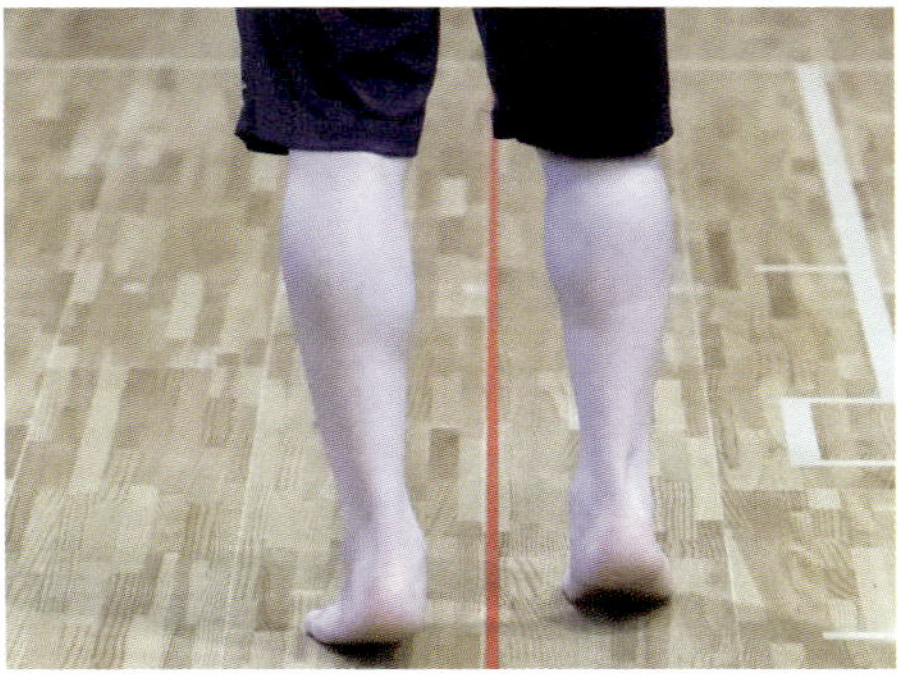

Point 3

振り向くことができたら、即座にしっかりと左足の拇指球の付け根に加重し、右足を踏み出す準備をしよう。これができていないと、せっかく速く振り向いても、次の動作に移行するまでに時間を要し、攻撃に移る時間が遅くなるだけでなく、相手に隙を与えることになるからだ。

ステップアップ

振り向いた後の体勢づくりに欠かせない練習

この足捌きは、ライン際や技を出した後の振り向く行為を想定している。そう考えると、試合で振り向く動作というのは、多く見受けられるものだ。このように、振り向く動作が必要な状況で、素早く振り向けなかったり、あるいは、振り向いた後の体勢が作れない、作るのが遅いなどは、試合の中で致命傷にもなりかねない。

この、「試合で多く見受けられる状況」を、いかに速く正確に行えるかで、勝敗は大きく左右されると言っても過言ではないので、しっかり練習しておこう。

面打ちの足の引き付けの流れ

No.19 足捌き（面打ちの足の引き付け）

竹刀を持って面打ちの足の引き付けを覚えよう

剣道では、竹刀が打突部位をしっかりと捉えるためにも、左足を引き付けて打突することが重要だ。

そのためには、遠くへ足を運ぶのではなく、その場を踏むようにし、腕を振るのではなく、肘を上げるようにすることが大切になってくる。

これらを意識し、繰り返し練習していく中で、打突の強さと下半身上半身、そして竹刀を持っての素振りを含め、身体を一致させていくことが望ましい。この練習で、より正しい打突を体に覚え込ませておこう。

遠くへ足を運ぶのではなく その場を踏もう

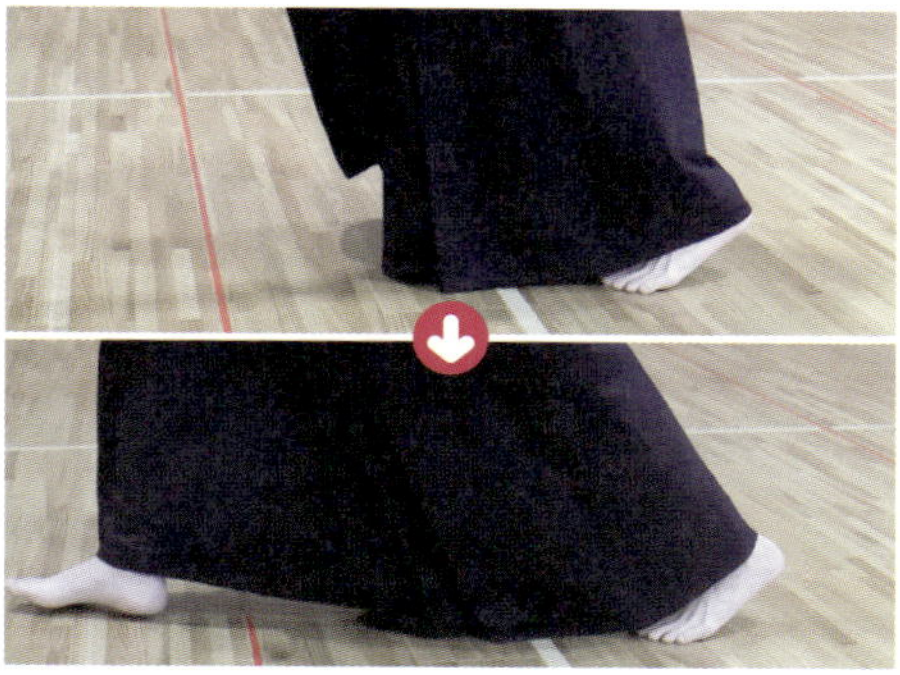

Point 1

遠くへ踏もうとすると、左足が残り、右足中心の打突になってしまう。素振り同様、近くを踏み、正しい足捌きと足の踏み方を覚えよう。また、遠くへ踏もうとすると、踵から落ちるので怪我につながってしまうだけでなく、右足が引き戻ってしまう弊害もある。

腕は振るのではなく 肘をあげるイメージで

Point 2

腕を振ろうとすると、最短距離で竹刀を振ることができない。そこで、竹刀を振るのではなく、肘を上げて面に乗せるイメージを持とう。竹刀を振り出したときに、竹刀と手首、肘、目線が一直線になるイメージだ。同時に、手の内で打突すれば、技の冴えにつながる。

左足の引き付けのとき 打ちの動作になる

Point 3

右の写真のように、右足で踏み込んだときに打ちの動作になってしまうと、正しい打突ではないだけでなく、前傾になってしまうため、左の写真のように、バランスも崩れる。左足の引き付けのときに打ちの動作になっていることが重要で、バランスも崩れない。

早く打とうとすると 左足が残る

Point3で左足の引き付けのときに打ちの動作になることが正しい打突だと解説した。また右足を踏み込んだときに打ちの動作になると前傾になってしまうとも解説した。この、右足を踏み込んだときに打ちの動作になってしまうのは、早く打とうとしたとき、より顕著になりやすい。試合はもちろん、スピードが上がってくる練習などで、左足を残したまま打ちの動作になってしまわないよう、この練習でしっかりと左足の引き付けを体に覚え込ませておくことが重要だ。

竹刀を相手につけた左足の送りの流れ

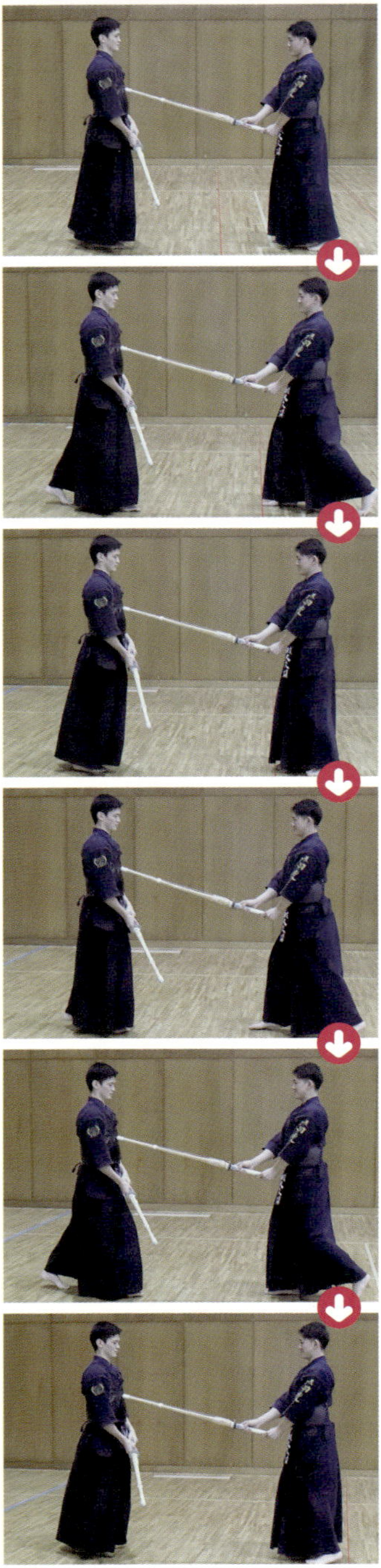

No.20 足捌き（左足の送り）

竹刀を相手の胸につけて、攻めの強さと左足の送りを覚えよう

攻めのときは、竹刀の握りの強さ、左手も右手も三本の指（小指、中指、薬指）に力を入れて攻め入るが、それが強さにもつながってくる。構えそのものも、腕の三角形を崩さずに攻めることが重要で、これが崩れると、最短距離の打突ができなくなるだけでなく、攻めの強さも出てこない。

そこで、この三角形を崩さないためにも、竹刀を相手の胸につけて左足で攻め入る、左足で送る練習を行い、剣先の強さや、力を入れても三角形を崩さない形を作り続けることを体で覚え込もう。

三本の指に力を入れ三角形を崩さない

Point 1

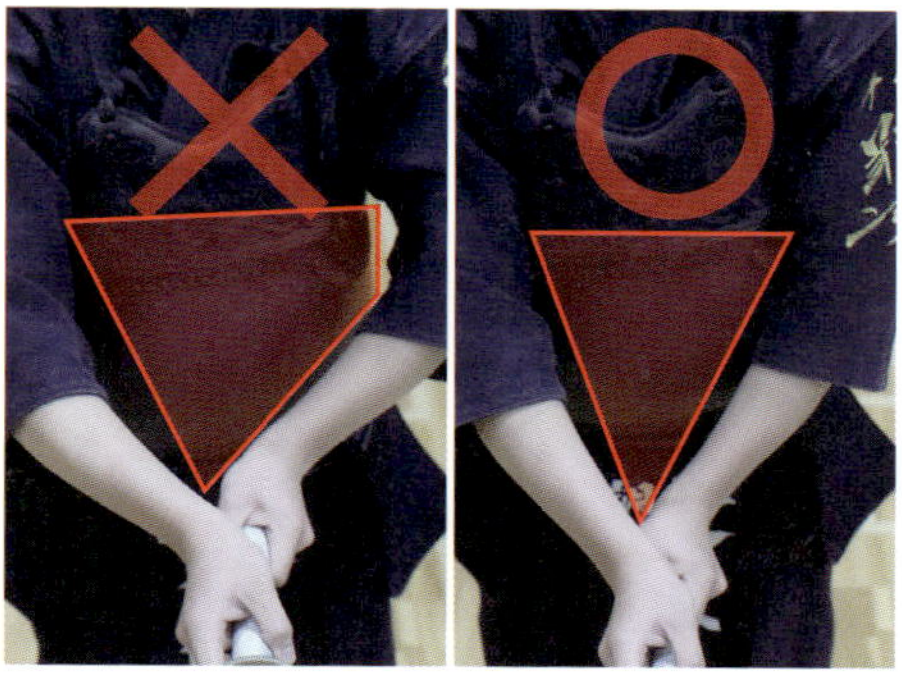

正しい中段の構えから、竹刀を握る両手の三本の指（小指、中指、薬指）に力を入れよう。同時に、竹刀を握っている手と両脇を結ぶ三角形を意識して、この三角形を崩さないよう、両腕に力を入れながら、相手を押して、攻め入っていくことが重要だ。

左足で右足を送ろう

Point 2

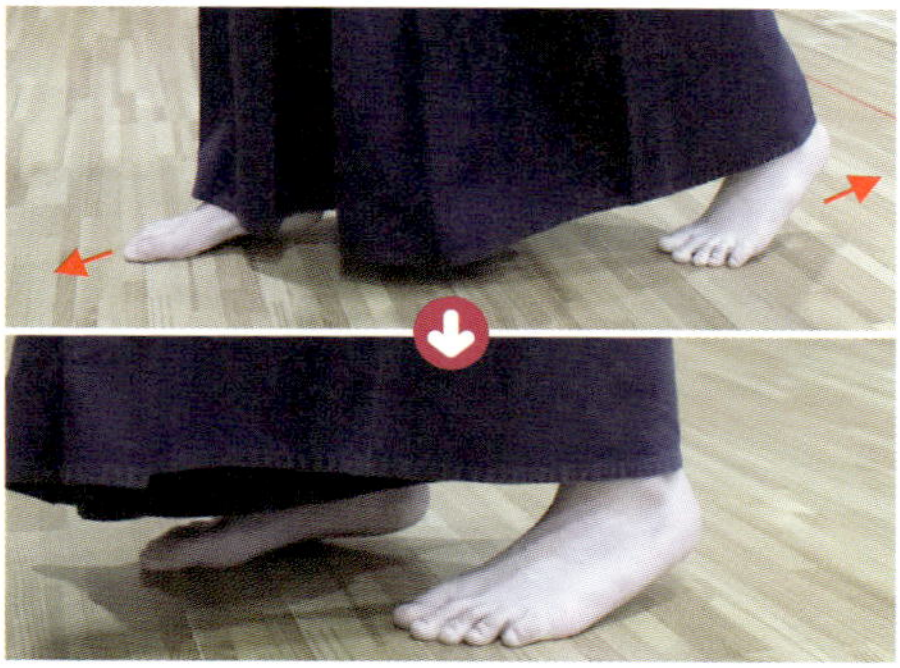

相手を押して攻め入る際は、まず右足を前に送るが、単に右足を前に出すだけでは意味がない。このとき重要なのは、力が入っている左足の拇指球の付け根で、床を後方に押し込むようなイメージを持ちながら、左足を使って右足を前に送り出すことだ。

押されてから下がろう

Point 3

押される側は、相手に合わせて下がっていくのではなく、しっかり押されているという圧力を感じてから下がろう。合わせて下がってしまっては、相手が竹刀の握りや三角形を崩さない力の入れ具合がわからなくなってしまう。ある程度我慢して、相手に力を入れさせよう。

ステップアップ

押される側も左足から下がる

Point3で、押される側は、相手に押されてから下がると解説した。このときは、単に下がるのではなく、押す側が踏み込んだ方の足、つまり左足から下がろう。もちろん、ただ左足から下がるだけではなく、足捌きを意識しておくことが重要だ。

早素振りでの足捌きの流れ

No.21 足捌き（早素振りでの足捌き）

早素振りでの足捌きを行おう

ここでは普通の足捌きではなく、早素振りをしながら前進をしていく足捌きの練習を解説する。

その場で行う早素振りの要領で行うが、前には大きく踏み、後ろに小さく運んで、その差分だけ、徐々に前進しながら、素振りをして進んでいく。

同時に、踏み足にして打ち込む動作を加えながら前進していくことが重要だ。

足捌きと手足を連動させていくということを身に着けるための、ひとつの練習方法として有効なので取り入れてみよう。

早素振りの要領で足をしっかり踏もう

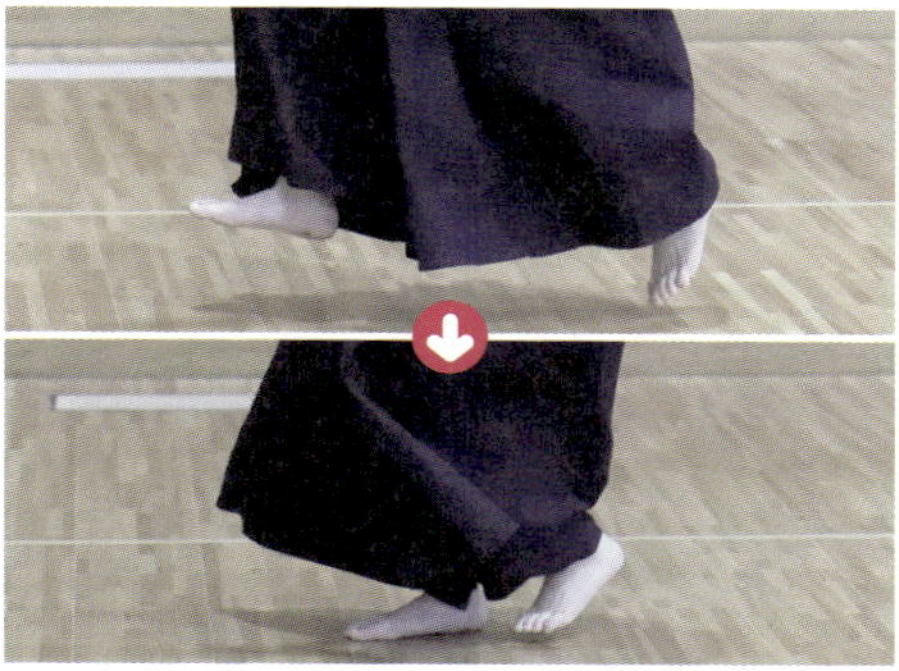

Point 1

ここでは早素振りを行うが、同時に足捌きを入れて前進しよう。その際は、早素振りばかりに注意するのではなく、足をしっかり踏み、足捌きと手足を連動させることを意識しておくことが重要となる。この連動を身に着けるための練習だと心得ておこう。

前は大きく後ろは小さく運ぼう

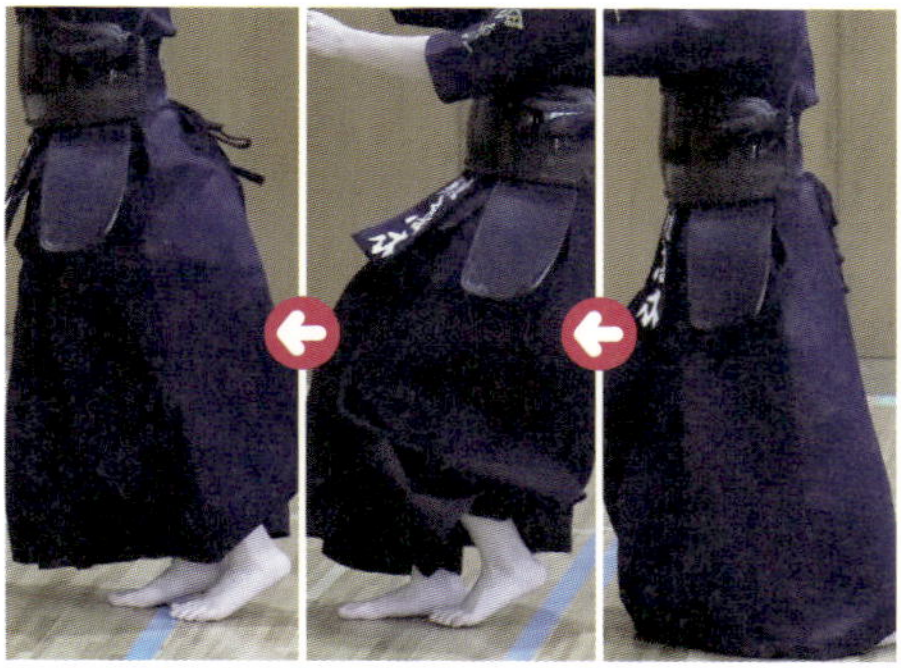

Point 2

その場で行う早素振りと同じ要領で行うが、足捌きは、前は大きく踏み、後ろは小さく運んで、その差の分だけ徐々に前進していこう。その際、足を踏んで、踏み足にして打ち込む動作を加えながら前進していくことが、とても重要になってくる。

左拳を目線で止めバランスを崩さない

Point 3

写真のように、左拳を目線の位置で止め、竹刀を放り投げるようなイメージで前に進んでいくと、正しい振りと最短の振りができるようになる。剣先をしっかりと打突部位に乗せるには、左拳を目線の高さで止めるのが最適であることを身体に覚え込ませよう。

ステップアップ

左拳が下がるとバランスが崩れる

Point3では、左拳を目線の高さで止めることを解説したが、左拳が下がるとバランスが崩れるため、上手く踏み込めなかったり、上手く前進できなかったり、体勢が崩れたりしてしまう。また、左拳が目線より下がると、剣先が面金の位置になってしまい、正しい打突部位に乗せることができない。

竹刀打ち（面打ちジャンプ）の練習の流れ

No.22 竹刀打ち（面打ちジャンプ）

面打ち後、両足でジャンプし、正しい打突を身につけると同時に体幹を鍛える！

剣道では、竹刀を使った面打ちは基本練習のひとつだが、この竹刀打ちにジャンプの要素を取り入れた練習だ。

単なる竹刀打ちとは違い、面打ち後、両足でその場ジャンプを行うことで、面打ちの効果に加え、背筋やひらめ筋、腓腹筋、前頸骨筋など、**体幹を同時に鍛える**ことができる。また、ジャンプすることで、正しい姿勢を保つことにもつながるため、正しい姿勢のまま打突する練習にもなる。面打ちの動作が疎かにならないように注意しながら行おう。

打突の位置は目の高さ

Point 1

竹刀打ちの練習を行うときは、受ける側の竹刀の高さは、自分の目の前くらいにしよう。この位置が高すぎると、打突部位が高くなるため、竹刀打ちの時、肩に余計な力が入ってしまう。これでは、正しい打突ができなくなり、練習としての効果を発揮しない。

左拳を頭頂部に引き上げ切っ先から振り下ろそう

Point 2

面打ちを行うときは、左拳を自分の頭頂部までしっかり引き上げるイメージを持っておこう。低すぎると力強い打突ができない。また、拳から打ち下していくのではなく、切っ先から振り下ろすようにしよう。拳から下すと剣先が遅れて出てくるため、打突が遅くなる。

竹刀を上げたとき両肘を開こう

Point 3

面打ちの練習では、特に女子に見られる傾向だが、竹刀を上げたときに肘に力が入り、伸ばしてしまう、ということがある。これでは小指の力が緩み、竹刀をしっかり握れなくなってしまうので、竹刀を上げたときは、両肘を曲げて開くように意識しておこう。

ステップアップ

正しい姿勢と体幹強化

面打ちの練習では、竹刀を臀部に近づけるくらい引き上げると言われることがある。しかし、これを意識しすぎると、特に力の弱い女子では、小指の握りが緩み、しっかりと竹刀を握れなくなる恐れがある。竹刀を引き上げる場合は、左拳を頭頂部まで引き上げるイメージで練習を行おう。練習内容はあくまで竹刀打ちだが、これにジャンプを加えることで、単なる竹刀打ちの練習ではなく、正しい打突姿勢作りや、無意識のうちに体幹強化も行うことができる。

片手竹刀打ちの練習の流れ

No.23 竹刀打ち（片手で面打ちジャンプ）

片手で面打ち後、両足でジャンプし、正しい打突を身につけると同時に体幹を鍛える！

No.22では、両手打ちでの面打ちジャンプを練習した。ここでは、応用として、左右片手での面打ちジャンプを練習してみよう。

この練習では、両手打ちでの効果に加え、片手で竹刀を振ることによって、**腕力および手の内の強化を図る**ことができる。片手打ちだからといって、竹刀打ちそのものが疎かにならないように注意しよう。竹刀を握る拳を頭頂部まで引き上げ、しっかりと振り下ろすことが重要だ。また、両手打ち同様、肘が伸びてしまわないように注意しよう。

受ける側は胸の高さに竹刀を構える

Point 1

No.22同様、受ける側は竹刀の高さを高くしすぎないように注意しておこう。胸の高さくらいにするとちょうどいい。これが高すぎてしまうと、打突するとき、必要以上に肩に力が入り、正しい竹刀打ち、つまり正しい打突ができなくなってしまい、練習の効果が低くなる。

拳を頭頂部に引き上げ切っ先から振り下ろそう

Point 2

左右のどちらで竹刀打ちを行うにしても、竹刀を引き上げるときは、しっかりと拳を頭頂部まで引き上げることを忘れてはいけない。片手で竹刀打ちを行うときは、竹刀の重さから、顔の前で拳を前後させがちになってしまうので、特にこの点に注意しておこう。

左右両方で片手打ちを行おう

Point 3

左手で片手打ちを行ったら、必ず同じように、右手でも片手打ちを行おう。これは左右のバランスを図る上でも重要だ。また、右手打ちで行う場合、左手打ちに比べて力が入りすぎてしまったり、振り方が雑になることがあるので、一層しっかりと打つように心がけておく。

ステップアップ

片手であってもしっかりした打突を

片手打ちでの面打ちも、単なる腕力強化ではない。しっかりとした姿勢としっかりとした打突を行うための練習でもあるのだ。

そのため、竹刀を振ることだけに集中するのではなく、しっかりとした打突を心がけることを忘れずに。

そのためには、竹刀を握っている拳を頭頂部まで引き上げ、切っ先から振り下ろすイメージで竹刀を振る必要がある。

手の内に力が入らないと、拳が先に下りてしまい。剣先が遅れてしまうので注意しておく必要がある。

小刻みな打突の練習の流れ

No.24 竹刀打ち（手の内強化）

竹刀を小刻みに打突させ、手の内の強化を図ろう！

No.22、23では、しっかりと拳を頭頂部まで引き上げての面打ちの練習を行った。これは正しく力強い面の打突を意識したもので、竹刀打ちというと、この方法が一般的だろう。

ここでは、竹刀打ちといっても、面の高さで竹刀を小刻みに打突させる練習を行ってみよう。この練習では、面の打突そのものというより、小さく早く打突させることで、**手の内を強化させる**ことが主な目的となる。そのため、手の内を利かせて柔らかく、素早く小刻みに打突することが重要だ。

手元は面の位置で打突を行おう

Point 1

この練習は面打ちで行うため、受ける側は、竹刀を写真のように、目線または額の高さにして、剣先が面の高さになるようにしよう。打突する側も、拳を必要以上に高くせず、胸の前に位置させ、面打ちの正しい姿勢で行うことが大切だ。

手の内を利かせて柔らかく打突しよう

Point 2

この練習では、竹刀を振り下すというイメージではなく、小刻みな打突を行う。そのため、Point1で高さを調整したら、拳をそのままの位置に置き、竹刀を振るのではなく、手の内を利かせて小刻みに行おう。必要以上に力を入れず、柔らかい打突を心がける。

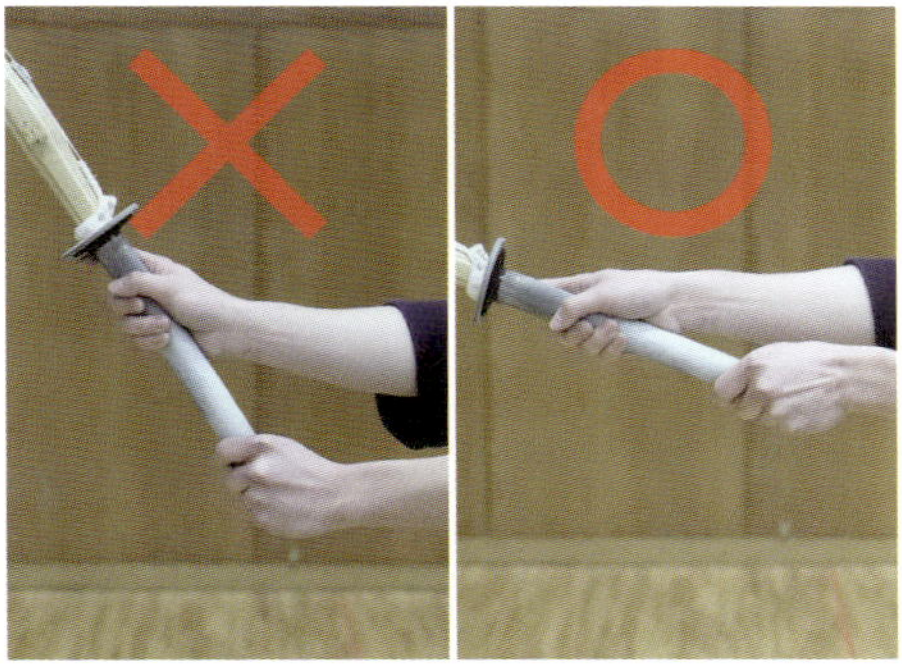

息を止めて連続して打突しよう

Point 3

この練習では、1秒間に5回程度打突するくらいのイメージで、小刻みに素早く行うことが重要だ。そのため、呼吸は止め、手の内に意識を集中させよう。20回連続の打突であれば、ほんの数秒で終わってしまうようなスピードで行うことが重要となる。

ステップアップ

手の内の強化が冴えを生みだす

手の内を強化し、柔らかく利かせることができるようになると、打突に「冴え」が出てくる。特に初心者などに多く見受けられるものだが、「冴え」のない打突は押し切りになってしまい、それでは一本を取りにくい打突となるだけでなく、必要以上の痛みを伴う打突となってしまう。

「ドスンッ」あるいは「バシッ」というイメージの打突ではなく、「パンッ」というイメージの「冴え」のある打突を行うには、この練習は非常に効果を発揮するので、ぜひ取り入れてほしい。

双方の切り返しジャンプの流れ

No.25 竹刀打ち（双方の切り返しジャンプ）

双方の切り返しジャンプで、正しい打突と体幹の強化を図ろう！

No.22、23では、一方の面打ちジャンプを行ったが、ここでは双方で切り返しを行い、同時にジャンプも入れた竹刀打ちの練習を行ってみよう。

先にも記載したとおり、打突後にジャンプを入れることで、背筋が伸び正しい姿勢を保つことができると同時に、**体幹を鍛えることもできる**。ここでは双方で竹刀打ちを行うため、相手の打突に負けないよう、竹刀をしっかりと振り下ろすことが重要だ。また、速度を上げても、竹刀を顔の前で操作しないように注意しよう。

大きくゆっくり正確に竹刀を振り下ろそう

Point 1

お互いが呼吸を合わせ、最初はゆっくりとしたスピードで、大きく正確に竹刀を振り下すよう心がけて練習しよう。しっかりと拳を頭頂部まで引き上げ、切っ先から振り下ろすよう心がける。竹刀を振り上げると同時にジャンプし、着地と同時に打突を連続して行う。

相手の打突に負けないよう竹刀をしっかり振り下ろす

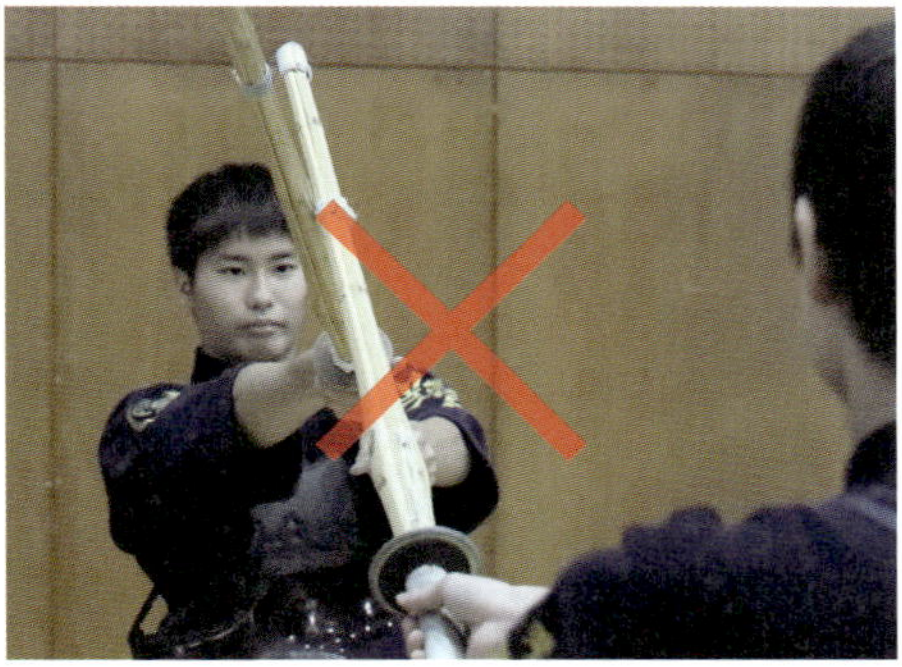

Point 2

切り返しで双方が相手の竹刀を打突するが、このとき、相手の打突に負けないよう、お互いがしっかりと竹刀を振るように心がけることが重要となる。

息を合わせて、テンポ、リズムともよく、切り返しながら打突を繰り返していこう。

速度が速くなってもしっかりと振り上げよう

Point 3

この練習では、徐々に速度（テンポ）を上げていくのが望ましい。ただし、速度が上がっていくと、竹刀をしっかりと振り上げることが疎かになり、顔の前で操作しがちだ。速度が上がっても、しっかりと頭頂部まで竹刀を引き上げなくては意味がないと心得ておこう。

ステップアップ

竹刀打ちによるメリット

剣道における竹刀打ちの練習には、正しい打突の形を覚えることはもちろんだが、筋力を鍛える、という側面もある。竹刀を打つことにより、手の内を覚え、上腕二頭筋や上腕三頭筋を鍛え、ジャンプすることにより、前傾骨筋やヒラメ筋、腓腹筋、背筋など、剣道に必要な筋肉が適度に鍛えられる。このことにより、体幹が作られる。

器具などを使ったトレーニングでは、余分な箇所にも筋肉がつきすぎてしまい、剣道特有の素早い動きなどに対し、逆効果となる恐れもある。

双方の切り返しジャンプ（縦移動）の流れ

No.26 竹刀打ち（縦移動の切り返し）

縦に移動する足捌きで、双方の切り返しを行おう！

No.25では、双方の切り返しでジャンプを行ったが、ここでは、縦に移動する足捌きを行いながら双方の切り返しを行ってみよう。

一方は前進を、もう一方は後退しながらステップを踏み、切り返しを行っていくが、このとき大切なのは、双方とも手、すなわち上半身が先に進むのではなく、**足、すなわち下半身が主導**となり、上半身が着いていくようなイメージで切り返しを行うことだ。また、バランスを崩さないように意識しながら行うことも大切な要素となるので注意しておこう。

下半身主導で行いバランスを崩さない

Point 1

前進、後退を意識するあまり、上体が先に進み、突っ込んでしまうことがある。これではバランスが崩れてしまうので、あくまでも下半身が主導となり、上半身がその上に着いてくるような意識を持って練習しよう。はじめはしっかりとした足運びを意識しよう。

肘を曲げて左拳を頭頂部まで上げよう

Point 2

面打ちの切り返しを行う場合は、両方の肘を曲げ、左拳を頭頂部まで引き上げることを忘れてはいけない。No.22でも触れたが、特に女子の場合、腕力が弱いため、肘を伸ばしたり顔の前で竹刀を振る傾向が多く見られるので、強く意識しておく必要がある。

ステップをしっかり取り手打にならないように

Point 3

この練習では、テンポを上げていくと、ステップが雑になったり、左拳を頭頂部まで引き上げず、顔の前で操作することが多くなる。これでは意味がないので、テンポが上がっても、しっかりとステップを踏み、手打ちにならないよう左拳の引き上げを意識する。

ステップアップ

コートの広さを理解する必要性

コートの広さは、一辺が9～11メートルの正方形でできている。この広さを体感的、感覚的に理解しているのと理解していないのでは、試合で大きく差がでる。テニスやバレーボールなどで、コートの大きさに合わせて練習しなければ、試合でその広さ（狭さ）に戸惑ってしまうだろう。剣道にも同じことが言えるのだが、特に学校での部活では、剣道場ではなく体育館で練習する場合も考えられる。このような場合は、ラインを引くなどしてコートの大きさを意識して練習しよう。

双方の切り返しジャンプ（横移動）の流れ

No.27 竹刀打ち（横移動の切り返し）

横に移動する足捌きで、双方の切り返しを行おう！

No.26では、縦に移動しながら双方の切り返しを行ったが、ここでは、その応用として、横に移動しながらの双方の切り返しを行ってみよう。

双方が平行に移動しながらステップを踏み、切り返しを行いながら往復してくる。この練習では、左右どちらに進む場合でも、上半身が先に進むのではなく、足、すなわち下半身が主導となり、上半身が着いていくようなイメージで切り返しを行うと同時に、**バランスを崩さないように注意**しながら行うことが重要となる。

下半身主導で行い ステップを踏もう

Point 1

この練習では、横移動を意識するあまり、上体が突っ込んでしまったり、逆に打突ばかりに意識が行き、しっかり横にステップが踏めず、斜めに進んでしまうことがある。あくまでも下半身が主導となり、上半身がその上に着いてくるような意識を持ち、練習しよう。

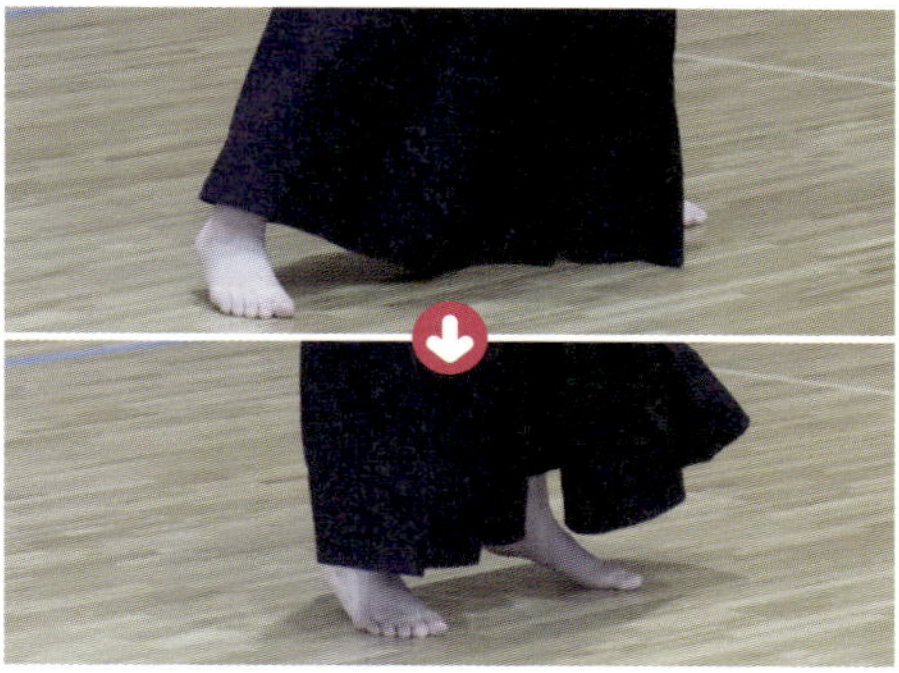

肘を曲げて左拳を 頭頂部まで上げよう

Point 2

No.26同様、面打ちの切り返しを行う場合は、両方の肘を曲げ、左拳を頭頂部まで引き上げることを忘れてはいけない。正しいステップを踏むことは大切だが、だからといって打突そのものが疎かになってしまうようでは、この練習を行っている意味がなくなる。

テンポを上げても 手打ちにならないように

Point 3

この練習でもNo.26同様、徐々にテンポを上げていくといい。ただし、ステップが雑になったり、左拳を頭頂部まで引き上げず、顔の前で操作することが多くなるので、テンポを上げても、しっかりとステップを踏み、手打ちにならないよう左拳の引き上げを意識しておこう。

ステップアップ

応用として コの字の移動も行う

ここでは横移動を行ったが、No.26で行った縦移動と合わせたコの字に移動するパターンも練習しよう。

前後、左右、どちらの移動でも、体がぶれないように、体幹を意識しながら練習することが重要だ。

この意識がなくなると、すぐに体がぶれてしまう。特に横移動の場合、体がぶれると真横ではなく、体が斜めに移動してしまうので、自覚しやすい。

もし斜めに進んでしまうようなら、前後への移動でも、バランスを崩している可能性があると考えよう。

一拍子の面打ちの流れ

No.28 防具着用（一拍子の面打ち）

一足一刀の間合いから一拍子の面打ちを行い、左足の引きつけが打ちの強さ、長さを出すことを理解しよう！

ここからは防具を着用した練習を行っていこう。まずは、一足一刀の間から一拍子で面を打つ基本的な練習を、再確認の意味も込めて行おう。

ここでは、練習そのものの方法ではなく、**左足の引きつけが、いかに強さ、長さを出すために必要**なのか理解してもらうため、引きつけがない、あるいは遅い場合と比較して、その違いを解説していくことにする。この違いを理解した上で、その点に注意しながら練習していくことで、より効果的な面が打突できるようになる。

竹刀と左腰で相手の竹刀を挟もう

Point 1

右手前、右足前で構える剣道では、右足が前に出たとき、どうしても体が斜めを向いてしまう。これを少しでも抑えるため、踏み込みに入る前に、左腰と左膝を内側に絞り、竹刀と左腰で相手の竹刀を挟むようにするといい。撞木足（カギ足）を防ぐ効果もある。

踏み込んだ瞬間の打突では長さが出ない

Point 2

右の写真を見て分かるとおり、右足を踏み込んだ状態で打突すると、身長差があったりした場合、竹刀が面に届かない。左足の引きつけを速くし、左の写真のように左足を引きつけた状態で打突すれば、竹刀が面に届く。長さを出すには、左足の引きつけが必要なのだ。

踏み込み足で振り上げ左足の引きつけで振り下す

Point 3

素振りを思い浮かべてみよう。右足を踏み込んで竹刀を振り上げ、左足を引きつけて振り下しているはずだ。これは実際の打突でも同じこと。姿勢を崩すことなく足の引きつけを速くすることで、竹刀を切っ先から振り下ろす力強い打突ができるのだ。

ステップアップ

応用として流れるような切り返しも行う

Point1で説明したように、左腰をひねったら、前方に体重移動しよう。自然と右足が前に出るはずだ。このタイミングで右足を踏み込み、一気に打突を行おう。踏み込みながら竹刀を振り上げ、着地と同時に左足を引きつけ、竹刀を振り下す。この動きを音のイメージで表現すると「スー（体重移動）バサッ（打突）」というイメージだ。左足の引きつけは、勢いで体が前に出てしまうくらいの強さと速さで行うのが望ましい。実際に練習では、勢いで右足が前に出てしまっても構わない。

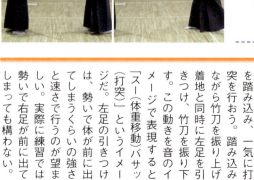

切り返しから面打ちの流れ

No.29 防具着用（切り返しから面）

大きな動作で切り返しから面打ちを行い、正しい動作を確認しながら身につける

ここでは切り返しを利用しながら、面打ちの基本動作を確認するとともに、切り返しに留まらず、技に変換していくための敏捷性や緻巧性を養う練習を行う。

一足一刀の間から、太鼓などの合図で一歩入り、次の合図とともに切り返しを行い、そのまま面打ちに移行する。この練習で大切なのは、**ひとつひとつの動きを大きく正確に行う**こと。すべての動作を自分で確認しながら行い、正しい動作を身につけることにある。また、左足の引きつけを速くすることも意識しておこう。

ひとつひとつを大きくしっかりと

Point 1

竹刀の振り上げと切っ先を鍔元まで振り下すこと、足の運び、左足の引きつけなど、すべての動作を大きく、しっかりと行おう。自分で確認しながら、丁寧に行うことに意味がある。この練習でスピードは必要ない。足もひとつひとつ止まり、確認しながら前進しよう。

体当たりのときは腰を出そう

Point 2

面打ちのあと体当たりを行うが、このとき重要なのは、腕だけで相手を押すのではなく、腰を出し腹から当たっていくようなイメージを持つことだ。腹から体全体で当たり、相手を弾き飛ばすくらいのつもりで体当たりしよう。

足は大きく運び左足の引きつけを速く

Point 3

ひとつひとつの動作は大きくしっかりと行うが、右足を踏み込むときは、足を大きく運ぼう。同時に、左足の引きつけは速く行う。この引きつけ足の速さで、竹刀の速さが決まってくるのだ。下がるときも同様に、左足を大きく、右足を速く引きつける。

ステップアップ

応用として流れるような切り返しも行う

ここで行った練習を、流れるようなスピードで、一息で行う練習も取り入れてみよう。行う動作は同じだが、ひとつひとつの動作を素早く正確に行うことが重要だ。速度を上げて行う場合は、打たせる側が移動を速くすると、練習しやすくなるので覚えておこう。また、確認しながら行う場合も、速度を上げて行う場合も、ひとつひとつの動作の縁を切らない、ということも重要になる。「面・面」ではなく「面面」というイメージで、すべての動作が次につながっている。

切り返しから面・引き面の流れ

No.30 防具着用（切り返しから面、引き面）

切り返しから面、引き面の連続打突を行い、抜き際の引き技へのつなぎを覚えよう！

ここでは、No.29の応用で行った切り返しからの面打ちに加え、面打突後の抜き際からの引き面を行ってみよう。No.29の要領で切り返しまで行ったら、踏み込んで面を打突し、抜き際に引き面を打突する。

この練習では、**次の技につなぐこと、連続打突を流れを切らずスムーズに素早く行う**ことなどが目的となる。実際の試合でも、連続打突は必要不可欠であり、面を打突したあとの抜き際の引き技へのつなぎを覚えることは、勝負にとってとても重要なことであり、身体能力を高める練習にもなる。

流れを切らず素早くスムーズに

Point 1

この練習では、切り返し後、踏み込んで面、引き面へと移行していくが、切り返した後、流れを切ることなく、スムーズに踏み込んでいこう。

また、面を打突したあとの抜き際の引き面も、連続打突であることを忘れずに素早く行ってこそ意味がある。

抜き際の振り向き動作を素早くしっかりと行おう

Point 2

面を打突したあとの引き面では、抜き際の振り向き動作をしっかり行うことが重要だ。振り向き動作をしっかり行わず、上体だけをひねって打突しても効果的な打突とはならない。足捌きで下半身も相手に向く状態を作り、打突後、引いて離れていくように。

足の捌きを速く行おう

Point 3

切り返し時はもちろん、打突の時も足捌きを速く行うように意識しておこう。踏み込む際も送り足の際も、左足の引きつけの速度が重要になる。またPoint2で触れた振り向き動作でも、素早い足捌きがあってはじめて、効果的な連続技となるのだ。

ステップアップ

引き小手、引き胴も取り入れて行う

ここでは抜き際の引き面での練習を行ったが、レパートリーとして、抜き際の引き小手、引き胴も行おう。

それぞれを単独で行うもよし、一連の流れの中で、すべてを取り入れて行うもよし。

連続打突がスムーズに行えるようになると、試合の中でも技の引き出しが増え、有利になる。また、この練習を通じて、技をつなぐことを覚える、また、その意識を持つことも、練習の効果として大きな意味を持つ。

切り返しから技を入れることから、とてもハードな練習にもなる。

縦の連続打突の流れ

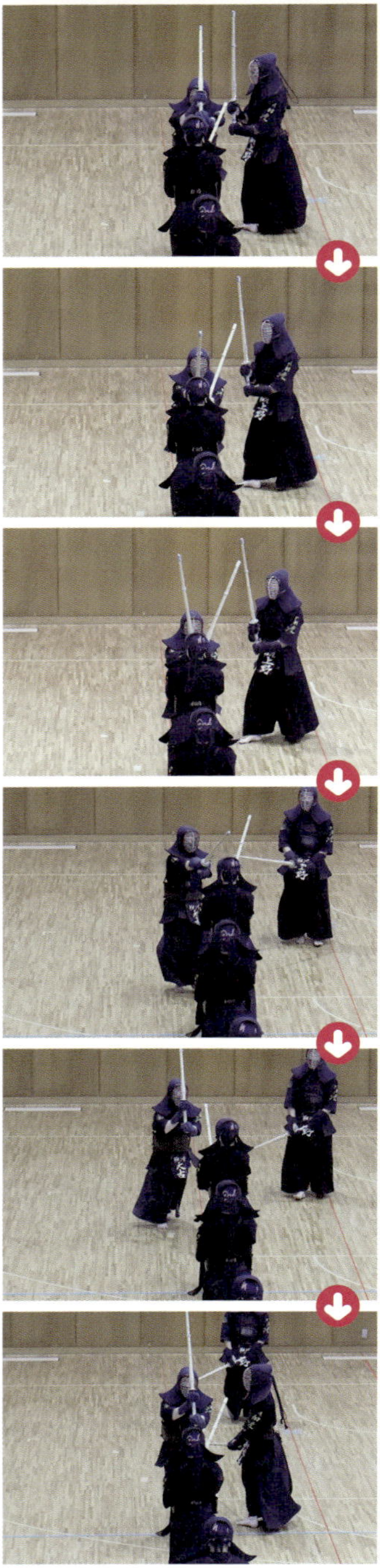

No.31 防具着用（面の連続打突）

縦の動きの連続打突で、出るも引くも、一足の動きで移動し技をつなぐ

ここでは、受ける側を等間隔に配置し、一人の受ける側に対して、面・体当たり・引き面・面と技をつなぎ、踏み込んで次の受ける側に移動していく、という練習を行ってみよう。配置した人数分を次々と連続打突していく。この練習では、踏み込みで出て打突するときも、引き面を打突するときも、また、次の受ける側に移行するときも、すべて**一足の動きで移動し、技のつなぎを覚える**ことに意義がある。間合いが近くならないよう、また、遠い場合は大きく踏み込み、一歩で効果的な打突を行う。

中心で構えを取り体を崩さないように

Point 1

技を連続してつないでいくと、構えが雑になったり、体が崩れることがある。これでは練習していても意味がない。しっかり中心で構えを取るように意識し、技をつないでいる間も、下半身主導で、その上に上半身が着いてくるようなイメージで、体がぶれないように。

一足で足を運び間合いを作ろう

Point 2

前に踏み込む場合でも、引く場合でも、常に一足で足を運ぶように心がける。特に前に出るときは、勢いに乗じて間合いが近くなってしまうことがある。すべてを一足で足を運びつつ、その一足で自分の打ち間に入る感覚を身につけながら技をつなぐことを覚える。

腰で当たり一足で引こう

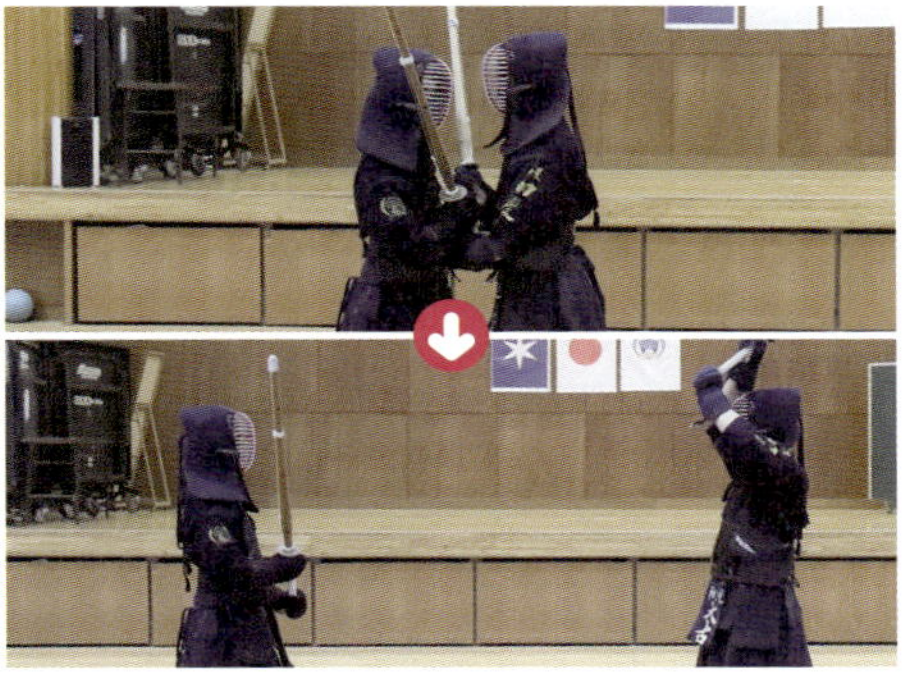

Point 3

体当たりからの引き面では、手で相手を押すのではなく、腰を入れて腰で当たるように意識しておこう。動きが速くなると、手で押そうとする傾向が強くなる。また、引き面を打突するときも、一足で引いて、そのまま一足で跳び込んで面を打突しよう。

ステップアップ

引き胴も取り入れて行う

ここでは体当たり後に引き面での練習を行ったが、レパートリーとして、引き胴も行うようにしよう。

この練習は、足捌きと体幹の強化をミックスした内容であり、かつ、技の展開を取り入れている。そのため、ただ速く次々と相手をこなしていけばいい、ということではない。しっかりとした足捌きと、体が崩れないように意識することで、剣道に必要な体幹の強化にもつながっている。一歩で足を運ぶことと、体が崩れないように意識しておくことは、常に頭に置いて練習しよう。

縦の連続打突の流れ

No.32 防具着用（面の連続打突）

縦の動きの面の連続打突で、一足の動きで移動し技をつなぐ

No.31では、等間隔に配置した受ける側に対し、面・体当たり・引き面・面と技をつないでいったが、ここでは同じように配置した受ける側の間を一足で移動しながら、面を連続して打突していく練習を行ってみよう。

一足で打突、また一足で打ち間に入り打突と、配置した人数分を次々と連続打突していく。この練習もNo.31同様、**足捌きと体幹をミックスした技の展開を意識**した練習なので、しっかりとした足捌きと体が崩れないことに注意しながら行うと効果的だ。

Point 1

構えをしっかり作り気持ちを高めて行おう

この練習では、打突に入る前、しっかりと構えを作り、気持ちを高め集中してから打突に入るようにしよう。なんとなく練習するのでは、練習の意味がなくなってしまう。気持ちを高め、一気に吐き出す。そういったイメージを持って練習に臨む必要がある。

Point 2

体を崩さずに一足で行おう

素早くテンポよく行うことが大切だが、一足で打ち間に入るよう、しっかり踏み込み足を運ぼう。左足を早く引きつけることも忘れずに。また、体を崩さないよう心がけ、下半身の動きで上半身が着いてくるイメージを持ち続けておくことも重要となる。

Point 3

膝が曲がらないように注意しておこう

No.31にも共通して言えることだが、膝が緩み曲がってしまっては、腰が落ち、強く正しい打突が行えなくなる。最初から最後まで、膝に力を入れたまま、曲がらないように注意して、力強く踏み込み、上から切っ先を振り下そう。遠くに跳ぼうとしないことも大切だ。

ステップアップ

体幹を意識して足裏全体で踏む

この練習を行うときは、特に体幹を意識しながら行うことが大切だ。つまり、上半身が前後左右にぶれてしまわないよう、心がけておく必要がある。

また、踏み込み足を大きく出すのではなく、足の裏全体で床を踏むよう心がけ、強い踏みの中から強い打突が生まれることを覚えよう。連続で打突すると、面を「点」で捉えようとする傾向があるのだが、「点（メン）」ではなく「線（メンー）」というイメージで捉えることを意識しておくと、より効果的な練習となるので覚えておこう。

～所正孝の指導語録１～

●幸せを得るには、何かを諦めなければならない。何かを達成する為には、何かを失わなければならない。全てをものにするなんて都合の良いものはない。

●トレーニングの仕方がわからなければ「走れ」。そこに全てが含まれている。負けない心も。

●剣道は奇数である。１、３、５、７、９

●剣道という競技は他人が評価するもの。常に周囲を意識し、より良い行動をし認めてもらう努力をする事が大切である。

●努力という言葉を人に認めてもらうには、影の努力ではなく見える努力を。

●勉強も剣道も復習が大切。今日思った事、今日感じた事、今日教わったことは、忘れてはいけない。

●剣道は「まさか」のスポーツ。１００回練習試合で負けても、たった一回の公式戦で勝つ。だからこそ辛いいし、楽しい。

●人は本来怠けもの「強くなりたい勝ちたい」気持ちが辛さを求めるせめて自分の周りより辛さを求めよう‼　怠け者に流されない

第二章

この章では一定のパターンを連続して行う練習法を紹介する。速く強い、激しい動きの中でも、足捌きやバランスを崩さずに同じ動きを連続して行うことで、正しい打突を身体に染み付かせる。

パターン練習

面打ち交互の流れ

No.33 パターン練習（A）　面打ち　交互

お互いが交互に面を打ち、身体に染み付かせよう

ここでは二人一組で、交互に面を打ち合う練習を解説する。

一方が面を打って抜けたら、すぐに振り向き、もう一方が面を打って抜けていく。これを交互に円（縁）を切らないように行うパターン練習だ。

この練習では、単に打突部位を打突するのではなく、速く強い動きの中でも体を崩さず、また足捌きなどにも注意して、正しい打突を心掛けることが重要だ。ここで練習する動きを身体に染み付かせてしまう意識を持って、何度も繰り返し行おう。

足捌き、踏み込みの動作を意識しておく

Point 1

No.19（P44）で解説したように、右足を踏んだときに打突するのではなく、左足を引き付けたときに打突すること。また、腕は振るのではなく肘を上げて面に乗せることを意識して練習しよう。これらの正しい動きを速い動きでも常に崩さず行えるようになることが重要だ。

打突後に気を抜かない

Point 2

打突した後でも、気を抜かずしっかりと構えよう。そして相手が打突し終わったあとは円（縁）を切らないことを意識し、すぐに打突していく。これを意識して繰り返すことで、技が尽きた後でも、すかさず技を出す。居ついたところでも、すかさず技を出すことが身体に染み付く。

体勢を崩さずに行う

Point 3

この練習は、速く強く行うが、このような激しい動きの中で、体勢を崩さない打突の仕方なども意識しておこう。激しい動きの中でもそれらを実践できるように注意することが重要だ。バランスを崩したり正しい打突ができなければ、技はつながらない。

ステップアップ

身体に染み付かせる

パターン練習全体に共通していえることだが、速く強いバランスしい動きの中でもバランスを崩さず、正しい打突を行うことが重要で、かつ、ポイントを踏まえながら、それらを連動させて身体に染み付かせていくことが重要だ。

小手打ち交互の流れ

No.34 パターン練習（A） 小手打ち 交互

お互いが交互に小手を打ち、身体に染み付かせよう

No.33では面打ちの交互練習を紹介したが、ここでは小手を交互に打ち合う練習を解説する。

練習の方法はNo.33の面打ちと同じで、一方が小手を打って抜けたら、すぐに振り向き、もう一方が小手を打って抜けていく。

この練習でも、No.33同様、単に打突部位を打突するのではなく、速く強い動きの中でも体を崩さず、また足捌きなどにも注意して、正しい打突を心掛けることが重要だ。動きを身体に染み付かせてしまう意識を持って、何度も繰り返し行おう。

踏みを面より小さくして腕を伸ばす

Point 1

No.33同様、右足を踏んだときに打突するのではなく、左足を引き付けたときに打突する。ただし、小手の場合は打突部位が面よりも前にあるため、踏みを面よりも小さくして距離を調整しよう。その上でしっかり腕を伸ばして小手を打突することが重要だ。

肘をたたんで打突しない

Point 2

Point1では、踏みで距離を調整すると解説したが、面と同じように踏んでしまうと、距離が近くなるため、肘をたたんで打突したり、左拳を下げて打突することになってしまう。これでは、バランスを崩すだけでなく、次の動作にも移れないので注意しておこう。

体勢を崩さずに行う

Point 3

Point2で肘をたたんで打突すると、バランスを崩すと解説した。同様に、肘を下げてしまうと前傾姿勢になってしまうため、これもバランスを崩す原因になる。激しい動きの中でも、常に正しい動きを心掛け、体勢を崩さないよう注意して練習を行おう。

ステップアップ

左に抜けることを覚えよう

小手を打った後、抜ける際は相手の右側を抜けることが多いはずだが、この練習では打った後、左側を抜けよう。右側を抜けると、相手に面を打たれる可能性があるが、左側であれば面に来られる危険性が低くなる。試合で急に左側を抜けようとしても難しい。この練習で左側を抜ける足捌きを覚えておこう。

突き面交互の流れ

No.35 パターン練習（A）　突き面　交互

お互いが交互に突き面を打ち、身体に染み付かせよう

ここまでは二人一組で、交互に打ち合う練習を、面、小手と行ってきたが、ここでは突き面の連続技で練習を行ってみよう。

要領はこれまで同様、一方が突きを打突したのち面を打って抜けたら、すぐに振り向き、もう一方が同様に打って抜けていく。

この練習でも、速く強い動きの中でも体を崩さず、足捌きなどにも注意して、正しい打突を心掛けることが重要だ。また、No.20（P46）で解説したとおり、突いたときに両脇と手を結ぶ三角形が崩れないよう注意しよう。

突きと面を打突するとき踏み込んで左足を残さない

Point 1

No.19（P44）で解説したように、右足を踏んだときに打突するのではなく、左足を引き付けたときに打突すること。この練習では、突いたときと、下がった相手に詰めて面を打つときの両方で、しっかり踏み込んで、左足を残さないように注意して正しく打突しよう。

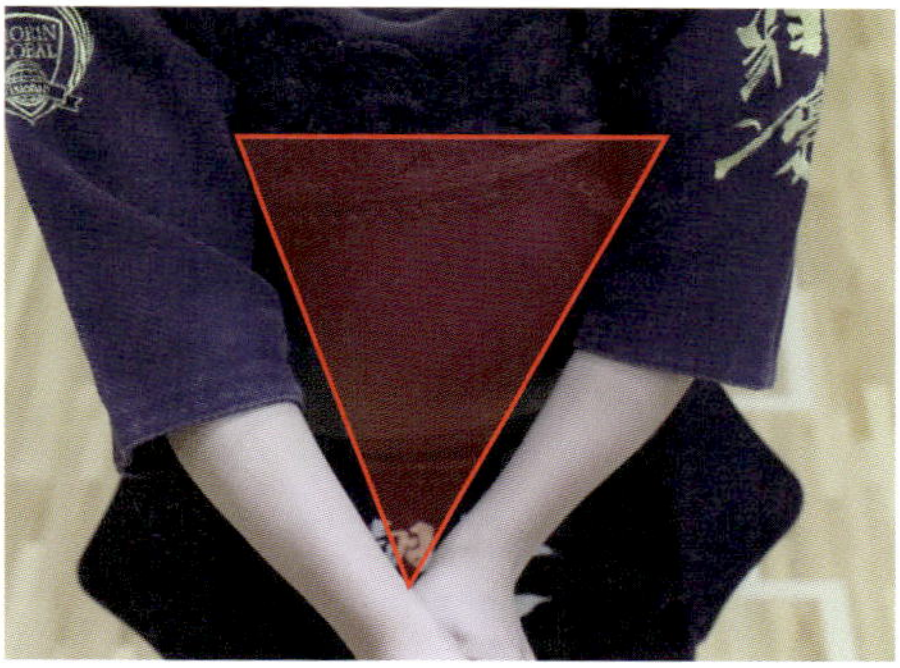

突いたときに三角形を崩さない

Point 2

No.20（P46）で解説したように、相手を突いたとき、両脇と手を結ぶ三角形が崩れないよう注意しておこう。速さや強さを意識するあまり、姿勢が雑になってしまっては、練習の意味がなくなる。また、三角形を崩す悪癖がついてしまう恐れもあるので注意しよう。

体勢を崩さずに行う

Point 3

この練習は、速く強く行うが、このような激しい動きの中で、体勢を崩さない打突の仕方なども意識しておこう。Point2の三角形同様、激しい動きの中でもバランスを崩さず、正しい姿勢のまま打突することが重要だ。バランスを崩して激しさを求めても意味がない。

ステップアップ

上から突き下ろせば外さない

突きは、下から上に突こうとすると、外れて肩の上を通過してしまう可能性が高くなる。これを外さないようにするには、上から突き下ろせばいい。そのためには、左拳を顔の前に持ってきてから突くと、結果的に上から下に突き下ろすことになるため、外さなくなるので、実践してみよう。また、ここでの突きは、一本を取るためのものではなく、相手のバランスを崩させるためのものなので、慣れないうちは突き垂れではなく、相手の胸を突いてバランスを崩させてもいい。

小手面打ち交互の流れ

No.36 パターン練習（A）　小手面打ち　交互

お互いが交互に小手面を打ち、身体に染み付かせよう

ここまでは二人一組で、交互に打ち合う練習を、面、小手、突き面と行ってきたが、ここでは小手面の連続技で練習を行ってみよう。

要領はこれまで同様、一方が小手面を打って抜けたら、すぐに振り向き、もう一方が小手面を打って抜けていく。

この練習でも、単に打突部位を打突するのではなく、速く強い動きの中でも体を崩さず、また足捌きなどにも注意して、正しい打突を心掛けることが重要だ。動きを身体に染み付かせてしまう意識を持って、何度も繰り返し行おう。

足は右右左とひとつの技ととらえる

Point 1

ここでの小手面は、小手と面のふたつの技を連続して打突するという感覚ではなく、ひとつの技ととらえよう。そのため、足は小手で右で小さく踏み、面で右で大きく踏み、左足を引き付けながら打突する、という感覚だ。右右左と足を使い、面で決めるイメージだ。

小手のあと、打たせる側が引く

Point 2

この練習では、打たせる側の動きも重要になってくる。小手を打たれた（打たせた）あと、より速く引いてあげないと、間が詰まってしまい、打つ側が面が打ちにくくなるからだ。ただ打たせるのではなく、正しい打突ができるよう注意しておこう。

体勢を崩さず打突後も気を抜かない

Point 3

すべての練習に共通して言えることだが、速く強く行う練習では、体勢を崩しやすいので、正しい動きの中で強さや速さを追い求めよう。

また、打突後は気を抜かないことも重要だ。すぐに振り向いて、次の動きに備えておかなければならない。

ステップアップ

速く打とうとする意識が強すぎると左足が残る

No.34のNGでは、速く打とうとすると右手中心になってしまうと解説したが、同様に、速く打とうとする意識が強すぎると、手だけでなく、左足が残ってしまいがちだ。もちろん、左足が残ってしまっては、正しい打突ではないし、強い打突にもならない。

引き面 - 面体当たりの流れ

No.37 パターン練習（A）　引き面 - 面体当たり

面を打ったあと腹から体当たりして、引き面-面の連続技を覚えよう

ここまでの二人一組は同じだが、ここでは一方が面を打ったのち、体当たりして引き面、さらに面を打って体当たりする連続技の練習を行おう。この流れを交互に行っていく。この練習でも、単に打突部位を打突するのではなく、速く強い動きの中でも体を崩さず、足捌きなどにも注意して、正しい打突を心掛けることが重要だ。また、体当たりの際、へそとへそを合わせるようなイメージで、腹から当たることで、中途半端な打突ではなく、下半身でしっかり打突することにもつながる。

技を連続して次につなげる

Point 1

この練習では、面を打っても一本が取れない場合などで、次につなげるためにも体当たりをして、引き面、さらに決まらなかったら再度面を打つ、というイメージを持って練習しよう。

技を連続させることで、次に次につなげていくイメージだ。

へそをぶつける意識で体当たりする

Point 2

打ち終わったあと、体当たりする際は、自分のへそと相手のへそをぶつけるようなイメージで体当たりしよう。これで、上体ではなく、腰の入った下半身での打突ができるようになる。中途半端な打突にならないためにも、しっかり腹から当たっていくことを心掛けよう。

ひとつひとつしっかり打って覚える

Point 3

この練習は技の連続だが、連続させることに意味があるのではなく、ひとつひとつをしっかり打突し、それでも決まらなかった場合を想定して、次につなげるというイメージだ。

そのため、正しい打突でひとつひとつ行い、それぞれをしっかり覚え、連続して技を出そう。

普通の体当たりでは目的が違ってくる

Point2で、へそをぶつける意識で体当たりすると解説したが、これをへそではなく、普通に体当たりしてしまうと、腰が引けてしまう。また、自分だけでなく、相手も腰が引けてしまう。これでは、面打ちが半端になり、体当たりのために面を打つような練習になってしまうため、本来の目的が果たせない。当たる力や踏み出す力、腰の入った打突などを養うことも目的のひとつだ。また、練習の中で体幹を作っていくこともひとつの目的なので、しっかりへそから当たるよう心がけよう。

引き面 - 面交互の流れ

No.38 パターン練習（A） 引き面 - 面交互

面を打ったあと腹から体当たりして、引き面-面の連続技を覚えよう-2

No.37では一方が面を打ったのち、体当たりして引き面、さらに面を打って体当たりする連続技の練習を行ったが、最後は体当たりではなく抜けて、これを交互に行う練習をしてみよう。この練習でも、単に打突部位を打突するのではなく、速く強い動きの中でも体を崩さず、足捌きなどにも注意して、正しい打突を心掛けることが重要だ。また、体当たりの際、へそとへそを合わせるようなイメージで、腹から当たることで、中途半端な打突ではなく、下半身でしっかり打突することにもつながる。

一本が取れなくても次につなげる

Point 1

No.37同様、この練習でも、一本が取れなかった場合など、次につなげるために体当たりをしてから引き面、さらに再度の面など、次々と技を出していくイメージを持って練習していこう。決まらなければ次、その次と、常に攻めて一本を取りにいくイメージだ。

へそをぶつける意識で腰から当たる

Point 2

体当たりするときは、No.37と同様に、相手のへそに自分のへそをぶつけるようなイメージで、腰を入れて体当たりしよう。通常の体当たりをしてしまうと、その次の打突が腰の引けたものになってしまう。へそを出すイメージがあれば、腰が入った打突になる。

連続させることに意味があるわけではない

Point 3

技を連続して出していく練習だが、ひとつひとつの技を丁寧に、正しく打つことが重要だ。連続させるからといって、それぞれを雑に打ってしまうのでは意味がないばかりか、間違った打突が身についてしまう恐れもある。正しい打突を連続させてこそ意味がある。

ステップアップ

No.37を超えた練習

この練習は、No.37で行った練習に近いが、打突したのち、素早く抜けることが求められるため、より左足の引き付けが大切になってくる。正しい足捌きを速く行う必要があるため、No.37を超えた練習といっていい。このことを踏まえ、練習に取り組もう。

面打ち - 足踏みの引き付けの流れ

No.39 パターン練習(B)　面打ち - 足踏みの引き付け

複数人に連続して面を打ち、正しい身体の使い方を覚えよう

ここまでは二人一組で交互に打突する練習を行ってきたが、ここからは一人が複数（4人程度）に連続して打突していくパターンの練習方法を解説する。

まずは面を連続して打突していく。一人目の面を打ったら抜け、次の選手にも面を打つ。これを人数分続け、すぐに振り向いて同様に面を打って抜けて戻る（往復する）練習だ。この練習では、右足の踏み込みと左足の引き付け、身体の使い方など、正しい足と手を、繰り返し行う中で覚えていくことを目的としている。

最初から速く打とうとしない

Point 1

この練習では、一人が複数人を打突して抜けていき往復するが、慣れないうちは、行きは時間をかけて一人ひとり確実に正しい打突を心がけ、竹刀の振り、左足の引き付けなどを意識しよう。戻ってくるときはややスピードを上げるなど、変化をつけてみるといい。

体勢を崩さずに行う

Point 2

この練習は、速く強く行うが、このような激しい動きの中で、体勢を崩さない打突の仕方なども意識しておこう。激しい動きの中でもそれらを実践できるように注意することが重要だ。バランスを崩したり正しい打突ができなければ、技はつながらない。

速く打とうとして左足を残さない

Point 3

この練習では、速く打突しようとする意識で行うため、左足を残した状態で打突してしまいがちだ。これではいくら速く打ったところで意味がなくなってしまうだけでなく、悪い癖を身体に覚えさせてしまう恐れがある。必ず左足の引き付けを意識しておこう。

ステップアップ

左足で攻め左足で打つ

ここでは面の連続打突を練習したが、実際の試合で攻めるときは、やや前傾になるように心がけるが、左足で右足を送ることを意識しよう。その際、手打ちにならないようにするためにも、左足で攻め左足で打つ意識を持っておくことが重要だ。

小手面打ち - 足踏みの引き付けの流れ

No.40　パターン練習（B）　小手面打ち - 足踏みの引き付け

複数人に連続して小手面を打ち、正しい身体の使い方を覚えよう

No.39では、面を連続して打突する練習を解説したが、ここでは同じ要領で小手面の練習をしてみよう。写真のように、一人目に小手面を打ったら抜け、次の選手にも小手面を打つ。これを人数分続け、すぐに振り向いて同様に小手面を打って抜けて戻る（往復する）練習だ。

この練習では、身体の使い方など、正しい足と手を、繰り返し行う中で覚えていくことを目的としている。そのため、雑になったりせず、激しい動きの中でも、常に正しい動きをするよう心掛けて練習に取り組もう。

小手で剣先を落とすと遅くなってしまう

Point 1

ここでは小手面を打つが、小手を打つとき剣先を落としてしまうと、面に行くのが遅くなってしまう。そこで剣先は落とさず、小手を強く打って、竹刀が上がる反動を利用して、そのまま前に出して面に落としていく、というイメージで打突することが望ましい。

小手で手元を下げ相手を崩す

Point 2

Point1では小手を打つときの注意点を解説したが、そもそもこの練習では、小手そのもので一本を取るのではなく、小手で相手の手元を下げさせ、体勢を崩して面を打つことが目的だ。相手の小手を打ち崩して、すかさず面に乗るという意識を持っておこう。

最初から速く打とうとしない

Point 3

No.39同様、この練習は一人が複数人を打突して抜けていき往復するので、慣れないうちは、行きは時間をかけて一人ひとり確実に正しい打突を心がけて行おう。戻ってくるときはややスピードを上げるなど、変化をつけ、徐々に全体のスピードを上げていくといい。

ステップアップ

小手で小さく踏み面で大きく踏む

相手に入ってこさせたところで小手面を打ってみよう。この時の足は、左足は固定したまま小手で右を小さく踏み、面で右を大きく踏んで、左足を引き付けながら面を打突する。右（小）右（大）左（引き付け）を意識して練習しよう。

相小手面の流れ

No.41 パターン練習（B）　相小手面

複数人に連続して相小手面を打ち、正しい身体の使い方を覚えよう

No.40では、小手面を連続して打突する練習を解説したが、ここでは同じ要領で相小手面の練習をしてみよう。相手が仕掛けてくるのに対して小手を合わせて面に乗って抜けたら、次の選手でも同様に行い、これを人数分続け、すぐに振り向いて同様に相小手面を打って抜けて戻る練習だ。

相小手面なので、相手が入ってくるため、自分から入っていく必要はない。ただし、小手で相手の小手を落とし体勢を崩させることを考え、より強く踏み込み、踏み落とすイメージを持っておこう。

相手の小手を落として面に行く

Point 1

この練習では、相手が小手にくるところを小手にいくが、小手そのもので一本を取るのではなく、面で一本を取ることが目的だ。そのため、相手の小手を打つときは、相手の小手を落として体勢を崩させる意識を持っておこう。相手の小手を落としておいて、面に乗る。

受ける側は、自分が先に仕掛けていく

Point 2

この練習は、相小手面なので、受ける側が先に仕掛けていこう。もちろん受ける側も、単に仕掛ける動きを行うだけでなく、しっかりと打突する意識を持って行おう。行う側も、その動きに小手を合わせて面に乗ることを繰り返し行って、身体に染み付かせることが重要だ。

速く打とうとして左足を残さない

Point 3

この練習では、速く打突しようとする意識で行うため、左足を残した状態で打突してしまいがちだ。これではいくら速く打ったところで意味がなくなってしまうだけでなく、悪い癖を身体に覚えさせてしまう恐れがある。必ず左足の引き付けを意識しておこう。

ステップアップ

右右左と踏む 最初の右はその場でも

小手面は小手と面を連続して打つというより、小手面というひとつの技だととらえよう。そのため、小手で右を小さく踏み、面で右を大きく踏んで、打突しながら左足を引き付ける、という動作になる。ただし、相小手の場合、相手が打ち間に入ってくるため、最初の右、つまり小手のときは、自分から入る必要がないので、その場で踏んでも構わない。その代わり、相手の小手を打ち落とすことを考え、より強く踏む意識を持っておこう。まさに、相手の小手を踏み落とすイメージだ。

出ばな小手（左捌き）の流れ

No.42 パターン練習（B）　出ばな小手（左捌き）

複数人に連続して出ばな小手を打ち、正しい身体の使い方を覚えよう

No.41では、相小手面の練習を解説したが、ここでは同じ要領で出ばな小手の練習をしてみよう。相手が面を打ってくるのに対して、その出ばなに小手を合わせるが、このとき大切なのは、打突後、右ではなく左に体を捌くことだ。左に捌くことによって、相手が追えず、面に乗られる危険性を軽減させることができる。

この練習では、身体の使い方など、正しい足と手を、繰り返し行う中で覚えていくことを目的としている。常に正しい動きをするよう心掛けて練習に取り組もう。

左に体を捌く感覚を身につける

Point 1

この練習の大きなポイントは、相手の面に対して小手を打つ場合、打突後、左に捌くことにある。左に捌くことによって、相手が追えなくなるからだ。ただ、左に捌くのは難しく、身体に覚え込ませないと右に捌いてしまうので、繰り返し練習して身体に馴染ませよう。

左で踏み込めるとより速くなる

Point 2

ここでは小手を打突後、左に捌くが、打突後に左に捌くのではなく、左で左に踏み込んで小手を打突できるようになると、打突も、その後の捌きもより速くすることができる。ただし、左に踏み込むのは非常に難しいので、何度も練習を重ねて身体に覚え込ませよう。

面に来たから小手では遅い

Point 3

相手の出ばなに小手を打つ場合は、相手が面に来たから小手を打つ、という感覚では遅くなってしまう。相手が面に来ようとして手元が上がった瞬間を逃さず、小手を打突しに行くのがポイントなので、そこを意識して練習に取り組み、自分のものにしよう。

ステップアップ

右に捌くならより速く寄せる

ステップアップというよりは、もし左捌きが苦手で、どうしても左に捌くことができないようであれば、無理に左に捌いてぎこちない動きになってしまうよりは、右に捌いても構わない。ただし、小手を打突後、右に捌くのは、相手に追われ面に乗られてしまう危険性が高くなるのは間違いない。そのため、どうしても右に捌く必要がある場合は、より速く相手に身体を寄せることを考えよう。寄せてしまえば打たれる危険性は低くなる。このことを意識して、速く寄せる練習を行おう。

返し胴の流れ

No.43 パターン練習（B） 返し胴

複数人に連続して返し胴を打ち、正しい身体の使い方を覚えよう

No.42では、出ばな小手の練習を解説したが、ここでは同じ要領で返し胴の練習をしてみよう。相手が面を打ってくるのに対して、その面を返し、胴を打突する。複数人が面を打突しに行って抜けていき、これを連続して繰り返し同じ打突を繰り返す。

胴は竹刀を抜かないと一本にならないため、足捌きはもちろんだが、打突後、いかにして竹刀を抜くかを身体に覚え込ませることも、この練習のポイントだ。この点も踏まえ、最初から最後まで気を抜かないで練習に取り組もう。

右で返し右で打ち左で抜く

Point 1

返し胴の場合、右足を踏んで相手の竹刀を返し、さらに右足を踏んで胴を打ち、左足を前に出したときに竹刀を抜く、というのが正しい打突だ。これらの正しい動き、正しい打突を、速い動きの中でも常に崩さず行えるよう、何度も練習して身体に覚え込ませよう。

受ける側は、自分が先に仕掛けていく

Point 2

この練習は、返し胴なので、受ける側が先に仕掛けて面を打ちにいこう。もちろん単に仕掛ける動きを行うだけでなく、しっかりと面を打突する意識を持って行おう。行う側も、相手の面を返して胴を打ちにいく。これを繰り返し行って身体に染み付かせることが重要だ。

左手を腹に付けて抜くと速く竹刀が抜ける

Point 3

高校生くらいになるとスピードが上がるため、返す時に手を寄せて竹刀を抜く準備をしてしまうと、返しが遅くなって打たれてしまう。そのため、手を寄せず相手の竹刀を返し、そのまま胴を打突して、竹刀を抜くときに左手を離して腹に付けて竹刀を抜こう。

ステップアップ

竹刀を抜くときは手の内を柔らかく

Point3では、竹刀を抜くときに左手を離し、右手の手の内の柔らかさを使って返す方法を解説したが、左手を寄せ両手で竹刀を引いて抜いた場合、竹刀が頭上にないので、振り向いたときに追い打ちされる危険性がある。これに対し、写真のように竹刀が頭上にあれば、打たれずに済むという利点もある。

相面三本連続の流れ

No.44 パターン練習（B）　相面三本連続

円（縁）を切らずに、連続して相面を三本打つ練習を行おう

No.43までは、一人に対し一度の打突を行い、それを複数の人数分、繰り返す練習をしてきた。

ここでは円（縁）を切らずに一人に対し三本連続で相面を打突し、入れ替わっていく練習を行ってみよう。お互いが面を打ち、抜けたらすぐに振り向いて、再度相面を打つ。その後、また振り向いて相面を打ち、一方が交代していく。これを速く、そして強く次々に繰り返していくことで、技のつなぎや体捌き、足捌き、竹刀捌き、踏み込みなどを、同時に練習し、身体に染み込ませていく。

相手よりもより早く強く競わせる

Point 1

この練習では、どちらかが練習を行い、どちらかが受ける側ということはない。両方が本気で、相手よりより早くより強く打って、より速く抜けることを競うように練習しよう。もちろん、早く振り向いて休まずに、相手に合わせる必要もなく、すぐに攻めていい。

右足を軸に回転し左足を引いて右から出る

Point 2

振り向くときは、右足を軸にして左足を引き付け、右足から出るよう心がけよう。これを行うことで、素早く振り向き、すぐに前に出ることができるようになる。また、左拳は下げず、竹刀を上に構えたまま回転し、すぐに攻める体勢を作っておくことも重要だ。

正しい動作とバランスを意識しておく

Point 3

速さと強さが求められる練習だが、だからといって正確さを二の次にしていいわけではない。むしろ、足捌きや体捌き、竹刀捌きなど、正しい動作とバランスを意識した上で、速さと強さを追い求めていかなければ意味がないので、雑にならないよう注意して練習しよう。

竹刀を抱えて振り向かない

打突後に抜けて振り向く際、特に慣れないうちは竹刀を写真のように抱えて振り向いてしまうことがある。これでは振り向いてすぐに攻めに転じることができず、場合によっては追い打ちを防ぐこともできなくなる。これらの危険性を下げる意味でも、練習時から左拳を下げて胸に抱え込んで振り向かないような動きを、身体に覚え込ませておく必要がある。

相小手面三本連続の流れ

No.45 パターン練習(B)　相小手面三本連続

円(縁)を切らずに、連続して相小手面を三本打つ練習を行おう

No.44では、相面を三本連続で打突し、入れ替わっていく練習を行ったが、ここでは相小手面で同様の練習をしてみよう。

お互いが小手を打ち、一方が相手の竹刀を打ち落とすように小手を打ったのち、そのまま面に乗り、抜けていく。これをNo.44同様に三回繰り返したのち、一方が交代していく。この練習でも、速く、そして強く次々に繰り返していくことで、技のつなぎや体捌き、足捌き、竹刀捌き、踏み込みなどを、同時に練習し、身体に染み込ませていく。

Point 1

より速く強くを相手と競わせる

この練習は、No.44同様、どちらかが練習を行い、どちらかが受ける側ということはない。一方が小手、一方が相小手面という違いはあるが、相手よりより速くより強く打って、より速く抜けることを競うように練習しよう。早く振り向いて、相手よりも早く攻めていい。

Point 2

早く振り向いて円(縁)を切らさない

No.44同様、抜けて振り向くときは、右足を軸に左足を引いて回転しよう。これで素早く振り向くことができるので、円（縁を）を切らず、休む暇なく続けて練習できる。振り向く際は、左拳は下げず、竹刀を上に構えたまま回転し、すぐに攻める体勢を作っておこう。

Point 3

正確さを二の次にして練習しない

こちらもNo.44同様だが、速さと強さが求められる練習だからといって、正確さを二の次にしていいわけではない。正しい足捌きや体捌き、竹刀捌きなどを意識して行っておかないと、練習にならないだけでなく、正しくない動きを身につけてしまう恐れもある。

NG

左に抜けると相小手面が成立しない

No.42では、小手を打ったあと左に捌けば打たれないと解説した。つまり、この練習で小手を打つ側が左に抜けてしまうと、相手側の相小手面が成立しなくなってしまう。この練習に限っては、小手を打って抜ける側は、必ず右に抜けるよう心がけておこう。

返し胴三本連続の流れ

No.46 パターン練習（B） 返し胴三本連続

円（縁）を切らずに、連続して返し胴を三本打つ練習を行おう

No.45では、相小手面を三本連続で打突し、入れ替わっていく練習を行ったが、ここでは返し胴で同様の練習をしてみよう。

　相手が面を打ってきたところで、受ける側が面を返して胴を打ち、抜けていく。これをNo.45同様に三回繰り返したのち、一方が交代していく。この練習でも、速く、そして強く次々に繰り返していくことで、技のつなぎや体捌き、足捌き、竹刀捌き、踏み込みなどを、同時に練習し、身体に染み込ませていく。

より速く強くを相手と競わせる

Point 1

この練習は、No.45同様、どちらかが練習を行い、どちらかが受ける側とということはない。一方は面を打つが、もう一方は面を返して胴なので、面を打つ側は返される前に面を打ってしまうつもりで練習を行う。このように、お互いが速く強くを意識して取り組もう。

遠目にことを起こし間合いを詰められないように

Point 2

返し胴を打つ側の選手は、間合いを詰めていくときに、詰めが深すぎると、胴を打つときに詰まってしまい、打てなくなる。そこで、やや遠目にことを起こすことを考えよう。また、相手に間合いに入られないよう、先に攻め込まれないよう、動きの中で間合いを確保しよう。

円（縁）を切らずに連続して行う

Point 3

この練習では、同じ二人が三回連続で技を出すため、打突で抜けた後、すぐに振り向いて、間を詰めていくことが重要だ。このようにして間延びさせず、円（縁）を切らずに連続して行うことで、技をつなげていくことを身体で覚えていくことができる。

NG

手元を下げる剣先を下げる

胴を打った後に竹刀を抜くとき、手元を下げてしまう、あるいは剣先を下げてしまうと、振り向いたときに相手の打突を避けにくくなる。また、素早く行えないので、次の動作も注意しておこう。

面に対しての応じ技の流れ

No.47 パターン練習（C）　面に対しての応じ技

相手の面に応じて技を出し、すぐに振り向いて応じる

パターン練習は、ここまで同一の技を速く、強く連続して行ってきた。ここでは、同一の技、打突ではなく、相手の面に対し、それに応じて打つ練習を行ってみよう。

まずは複数人が二組に分かれ、連続写真のように、一列に向き合う。先頭の一人が相手の面に応じて技を出したのち、すぐに振り向いて次の相手の面に応じて技を出していく。これを何度も繰り返し行う練習だ。右足を踏み込んで打突したら、左足を引いて振り向く。これを繰り返し行うため、足捌きの効果的な練習でもある。

Point 1

その場で踏んでその場で打つ

この練習では、面に対しての応じ技になるため、相手が全力で打ち間に入ってくることが前提だ。そのため、その場で踏んでその場で打って技を決める、という感覚を養おう。また、右で踏んで左足を引いて振り向くことを心がけ、途切れさせせず連動して技を出そう。

Point 2

同じ技を続けて出さないように

面に対しての応じ技は出ばな面や面返し面など数種類だが、同じ技が続かないよう注意しよう。むしろ、相手の状態や間合い、タイミングなど、どのような技にも対応できることが望ましい。また、頭で考えず、自然と技が出せるようになることが理想だ。

Point 3

必ず構えて中心を取る

この練習を行っていると、早く打つことばかり考えてしまい、構えることなく技を出してしまいがちだ。実際の試合では考えられないことで、構えずに技を出すことを繰り返しても、あまり身にならない。しっかりと構え、中心を取って技を出すよう心がけておこう。

ステップアップ

徐々に速度を上げて練習する

この練習は、慣れる前から速度を上げてしまうと、どうしても構えて中心を取ることが疎かになってしまう。そこで、慣れるまではスピードを上げず、お互いが中心を取り合ってから打突に行くことを心がけよう。段階的に徐々に速度を上げ、ステップアップさせていけばいい。

小手に対しての応じ技の流れ

No.48 パターン練習（C）　小手に対しての応じ技

相手の小手に応じて技を出し、すぐに振り向いて応じる

No.47では、相手の面に対し、それに応じて打つ練習を行ったが、ここでは面ではなく小手に対して応じて打つ練習を行ってみよう。

練習方法はNo.47と同様で、まずは複数人が二組に分かれ、連続写真のように、一列に向き合う。先頭の一人が相手の小手に応じて技を出したのち、すぐに振り向いて次の相手の小手に応じて技を出していく。これを何度も繰り返し行う練習だ。応じ技は、ひとつに限定せず、状況に応じてさまざまな技を出そう。

右で踏んで応じ、右で大きく踏んで左足を引き付ける

Point 1

この練習では、小手に対しての応じ技になるため、右で小さく踏んで小手に応じ、右で大きく踏んで左足を引き付けながら打突する。No.47では、相手の面に応じたのでその場で踏んでもよかったが、小手の場合は、応じたあと、右で前に踏み込んで打突しよう。

自然と技が出せるようにしておく

Point 2

No.47同様、同じ技が続かないよう注意しよう。小手に対する応じ技は、相小手面や小手返し面、小手抜き面などだが、相手の状態や間合い、タイミングなど、どのような技にも対応できることが望ましい。また、頭で考えず、自然と技が出せるようにしておこう。

一回6本から7本にして集中して行う

Point 3

No.47にも共通していることだが、この練習を行うときは、左右に分かれる選手は片方3名くらいにして、一回につき一人が6本から7本程度にしておくことが望ましい。人数が多すぎる（時間が長すぎる）と、集中力が続かず、内容が薄くなってしまうからだ。

左に抜けると練習にならない

No.45でも触れたが、小手を打突する選手が左に抜けてしまうと、応じ技が成立しなくなってしまう。小手を打つ側の選手は、必ず右に抜けよう。

また、No.47でも触れたことだが、この練習は慣れる前からスピードを上げてしまうと、中心を取らず構えることも疎かに打ちに行ってしまいがちだ。そのため、最初は速度を上げなくても構わないので、しっかり構えてお互いが中心を取り合いながら、練習を進めていき、徐々に速度を上げていこう。

～所正孝の指導語録２～

●剣道の稽古は、学ぶ気持ちがあれば小学生からでも沢山学べる。

●向上する為には、辛い事、嫌な事を実行しなければならない。稽古も、やり辛い人と積極的にやる事が大切である。

●気合も技のうち。気合の小さい人に強い人はいない。

●選手はポジティブに、監督はネガティブに。常に最悪の状態に備える。

●褒めるときはその日のうちに（ストレートに感情が出せる）。叱る時はグッと我慢して１日空ける（冷静に話ができる）。

●日本一になりたい人が自分達しかいなかったら、すぐにでもなれる。数多くの人が望み、数多くの学校が目標とする。並大抵な思いでは達成できない。全国に出る事を目標としていたら不可能に近い。でも、全国に出続けなければ日本一の夢も見れない。

●どんな優勝でも、「運」と「ツキ」がないと中々達成できない。「運」は自分でやる事をやって運んで来れるけど、「ツキ」は羽がはえていて気まぐれ。できることは、やる事をやって「運」を運んで「ツキ」を待つ。

●試合で相対した時、全く同じ技を考えているか、真逆かである。

第三章

心得

部活動では、中高生が対象であり、町道場や社会人としての剣道とは異なる性質を持っている。そこで、部活動特有の考え方や指導方法など、心得ておくべき事柄について解説していこう。

No.49 心得

団体戦での選手の並べ方
先行すれば流れがよくなる

チームと個々の剣道に合った選手を置く流れのあるチーム作り

学生の剣道の試合では、団体戦になると、必ずしも個人の能力だけで勝敗が決まるとは言えない。団体戦には心理戦のような側面があり、先鋒の勝敗次第で、次鋒以降の戦い方やプレッシャーのかかり具合などが変わってくるからだ。

そこで、翔凜中学・高校では、それぞれのポジションに合った選手を置くようにしている。そのチームに合った、個々の剣道のリズムに合った流れのあるチームを作ることで、試合を優位に進めることができるのだ。特に先鋒・次鋒は大切で、先行できれば後手陣のプレッシャーは格段に減るだけでなく、相手には「もう負けられない」というプレッシャーを与えることにもなる。

No.50 心得

なぜダメなのか、なぜの理論を説明する

スキンシップを心がけ理論を説明することが努力する気持ちを生む

高校生の部活としての剣道では、どの学校も同じだと思うが、必ずしも上手な子供ばかりが集まるわけではない。新入生であれば初めて剣道を行う子供や、教えたことがなかなか身に付かない子供もいたりするものだ。

翔凛中学・高校が練習の中で意識していることは、上手にできない子供には、上手にできる子供よりも声かけを多くし、できる限りのスキンシップをはかることだ。また、悪い例を具体的、視覚的に見せ、「なぜ」ダメなのかをしっかりと説明している。これにより、それを直すために努力しようという気持ちが芽生えてくる。生徒との信頼関係を、日頃から作り上げておくことも重要だろう。

No.51 心得

良い例は積極的に見せ、競争意識を持たせる

生徒の模範例を見せ競争意識を持たせ困難に立ち向かわせる

No.50とは正反対だが、良い例も積極的に見せるよう心がけている。これは、指導者が模範を示す場合もあるが、主に上手な生徒を例にして、他の生徒たちに模範例として見せることを指している。良い例を見せることで、他の生徒たちに修正点を視覚的に気付かせることも目的だが、それ以上に、他の生徒たちに競争意識を持たせる効果が期待できるのだ。人間は誰しも褒められたい生き物だ。チームメートとは言え、ライバルであることも間違いのない事実。より良いものに近づき追い越したい。そして自分が褒められたい。このような気持ちを持たせることで、生徒たちは自然と、自ら進んで困難に立ち向かう姿勢を養っていく。

No.52 心得

体育着でできる練習は体育着で行う

着替え時間がかからず全員が持ち合わせ動きやすいメリット

通常、剣道の稽古では、ジャージなどの運動着を着て行うことはない。最初から袴を履き、練習を行うものだ。しかし翔凜中学・高校では、最初から袴を履いて行う必要がある場合などを除き、基本的にジャージでできる練習はジャージで行っている。運動着ならば着替えに入ることがすぐに練習に時間がかからず、生徒全員が持ち合わせている服装でもある。また、動きやすいので、足捌きを覚えさせるのに適した服装であることも大きな理由だ。そして何より、稽古着、袴では見えない、腕や足、膝の動きがよくわかる。学校のクラブ活動として行っているのであれば、これらのメリットを活用しない手はない。

No.53 心得

飽きさせないメニューで練習を行う

リズムのある練習は稽古を楽しくさせテンションも上がる

どの学校であっても、指導者が部活動を通じて子供たちに求めるものは、そう変わるものではない。剣道の基礎や基本を修得することはもちろん、それ以外の部分でも。しかし、求めるところが同じでも、練習方法や練習内容にひと工夫を入れることで、子供たちの興味や関心は増大する。つまらないと感じながら黙々とこなすよりも、興味を持ち、楽しいと感じながら練習した方が、当然、効果的となるのだ。また、「リズム」のある練習は、稽古を楽しくさせる。いま必要な稽古、この瞬間に必要な稽古を大切にし、辛い稽古ほど「リズム」や「声かけ」を積極的に取り入れ、子供たちのテンションを上げてやるといいだろう。

No.54　心得

高い目標を口にさせる

自らに責任を持たせ目標に向かって努力する目標達成の近道である

中学生や高校生など、子供に限ったことではなく、大人の世界でも共通していえることだが、目標を設定し、それをあえて公言させることで、自らに責任を持たせ、自発的に目標に向かって努力させることができるようになる。それは同時にプラスの気となり、子供たちの士気が高まるとともに、あまりやる気のなかった子供たちにも伝播してくものなのだ。

こうして、全体の士気が高まることで、目標を達成していく土台となり、結果として目標を次々と達成していくのだ。その達成感が、さらに士気を高める、という相乗効果をも生み出し、「日本一になる」という高い目標をも達成させる近道となるだろう。

No.55 心得

試合に合わせた調整法

一週間前から合宿して生活リズムを管理し剣道に飢えさせる

翔凛中学・高校では、全国大会など特に大きな試合を控えた場合、部員全員ではなく、大会に出場する選手だけを対象とし、大会の一週間前から合宿を行うようにしている。といっても、その一週間が稽古漬けになるというわけではない。むしろ練習量そのものは、通常時の1/3程度でしかない。

合宿は、選手の生活リズムや体調などを管理し、大会をベストの状態で臨めるようにすることが主な目的となる。この間は、適正な睡眠時間や栄養のバランスに気をつけることはもちろんだが、練習時間を濃く短いものに変え、内容も試合に則したものに絞っている。「早く試合がしたい！」という欲求を持たせることも重要になる。

第四章

トレーニング

翔凜中学・高校では、練習で主に体幹を鍛えるトレーニングを取り入れている。その結果は、大会等の成績にも色濃く反映されている。ここでは、そのトレーニング方法について解説しておこう。

クイックラン

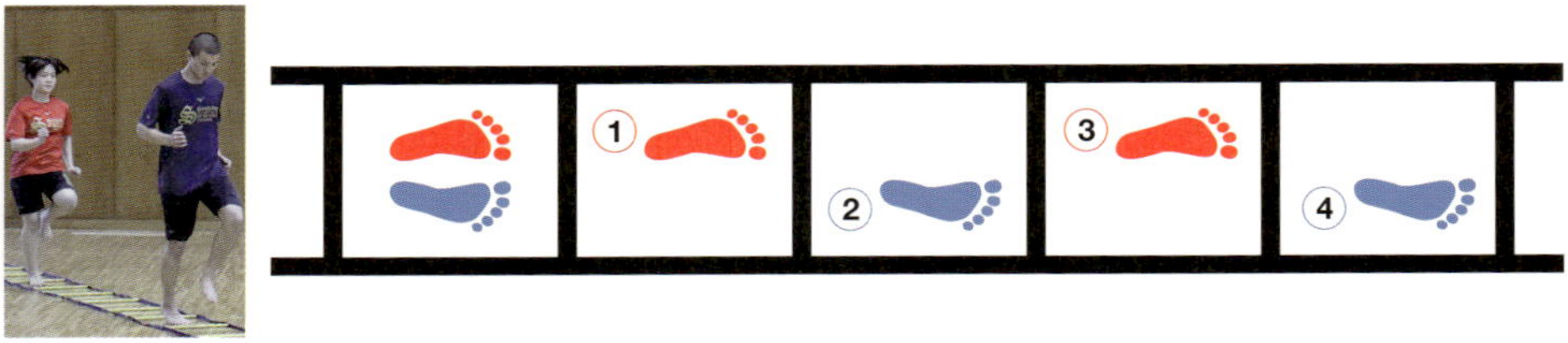

ラテラルラン（左）

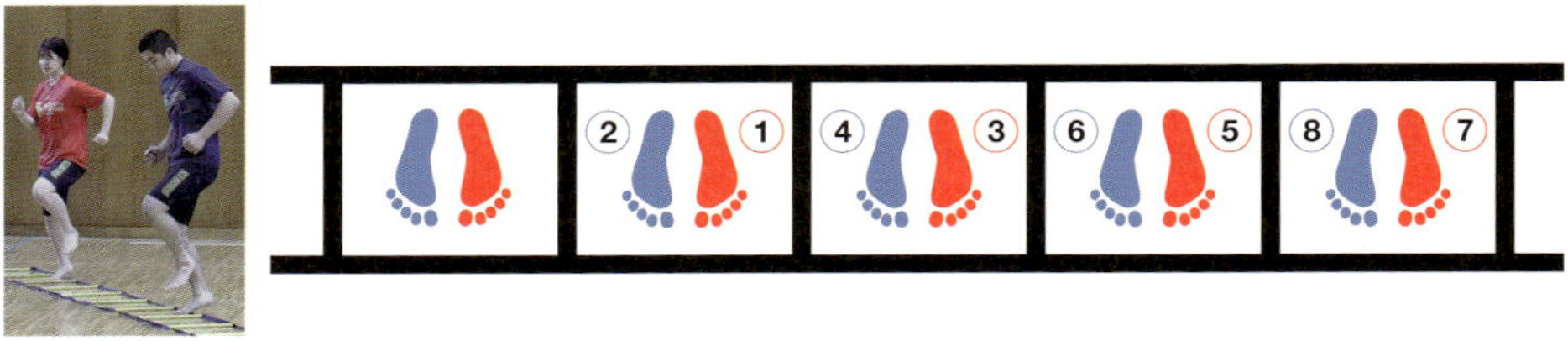

ラテラルラン（右）

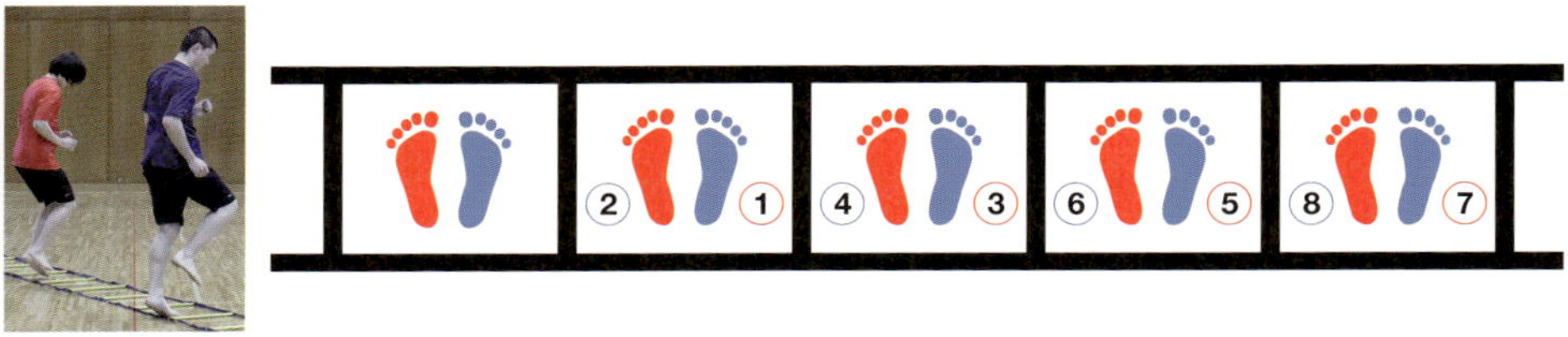

両足ジャンプ

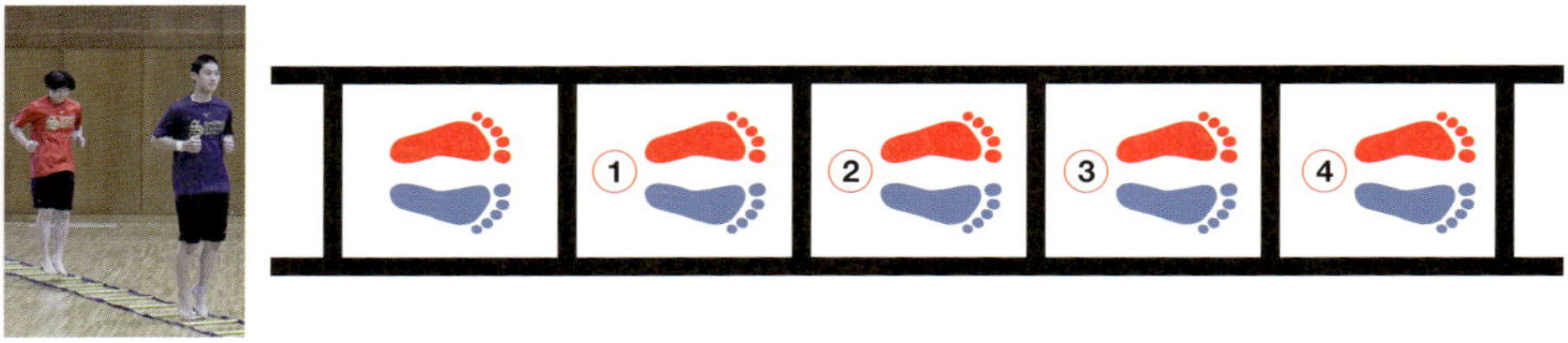

No.56 トレーニング

ラダートレーニング

はしご状のマスを、規則的かつ左右対称に動いていくトレーニング。

主な目的は3つあり、一つ目は「身体を正しく動かす」こと。二つ目は「左右の筋力の差を整える」こと。三つ目は「股関節の柔軟性を養う」こと。スポーツでは、これら3つの要素は必要不可欠であり、かつ、バランス感覚の向上や怪我の防止にも直結する大切なものだ。

このトレーニングは、速さよりも正確さが大切なので、特に動きに慣れるまでは、速く行わなくても構わない。

開閉ジャンプ

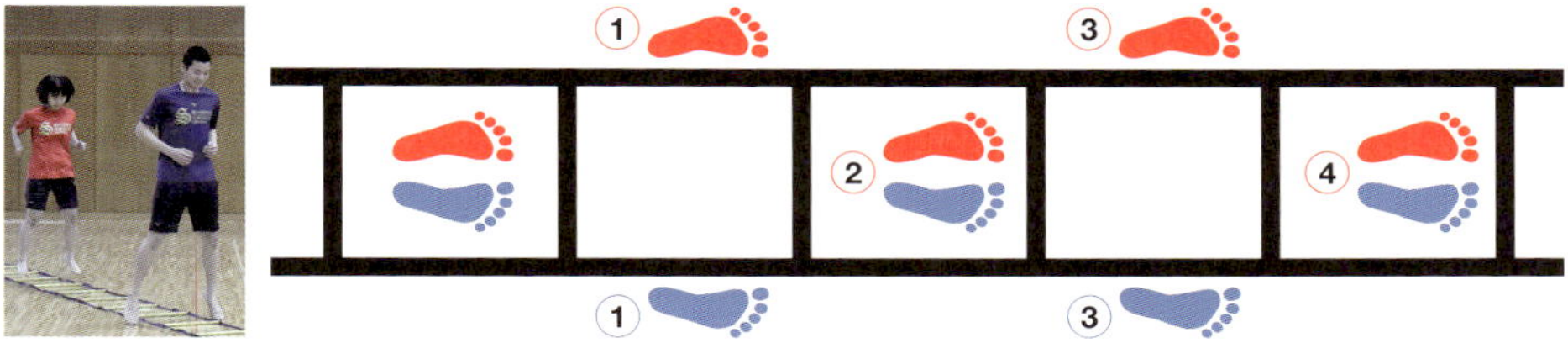

スネーク

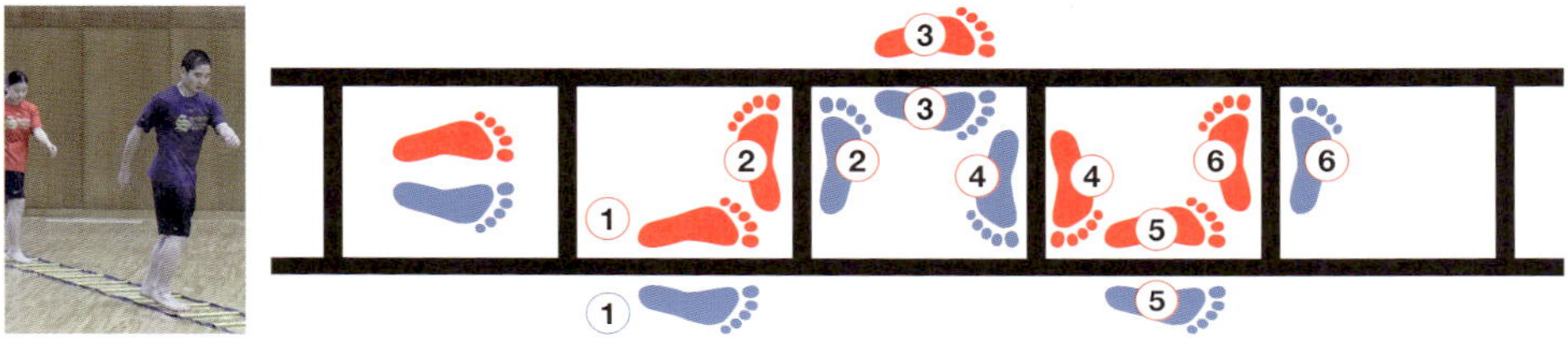

シャッフル

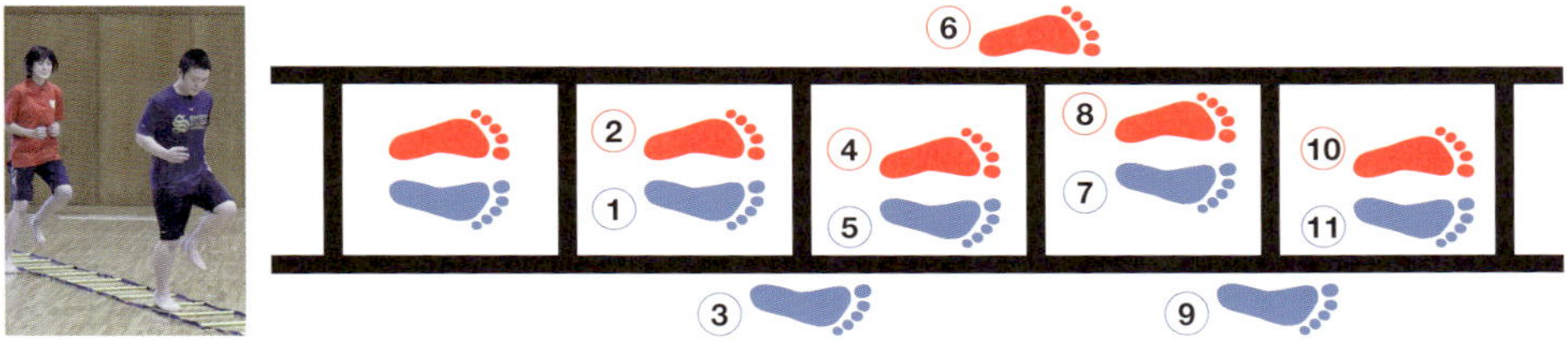

スキップ

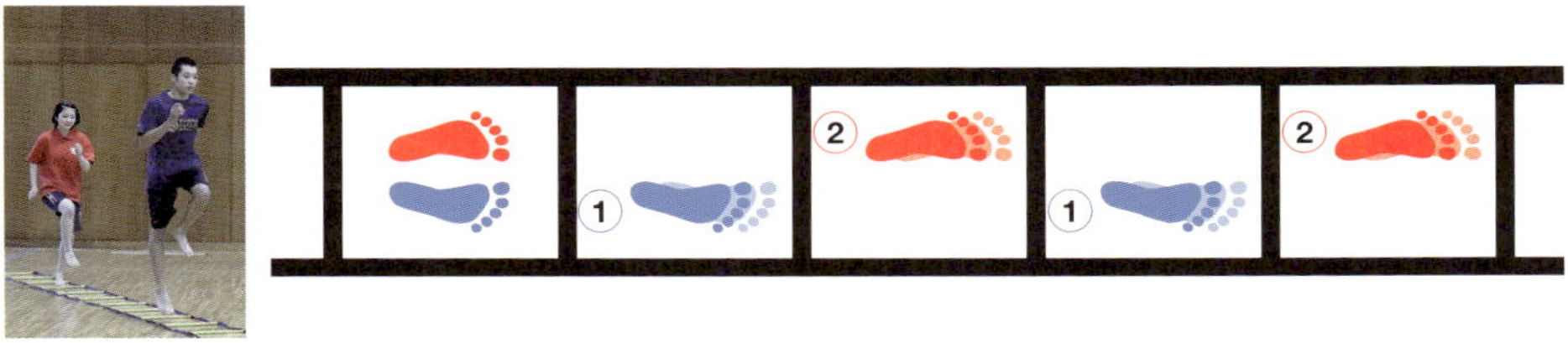

スキップ（高く）

1イン2アウト

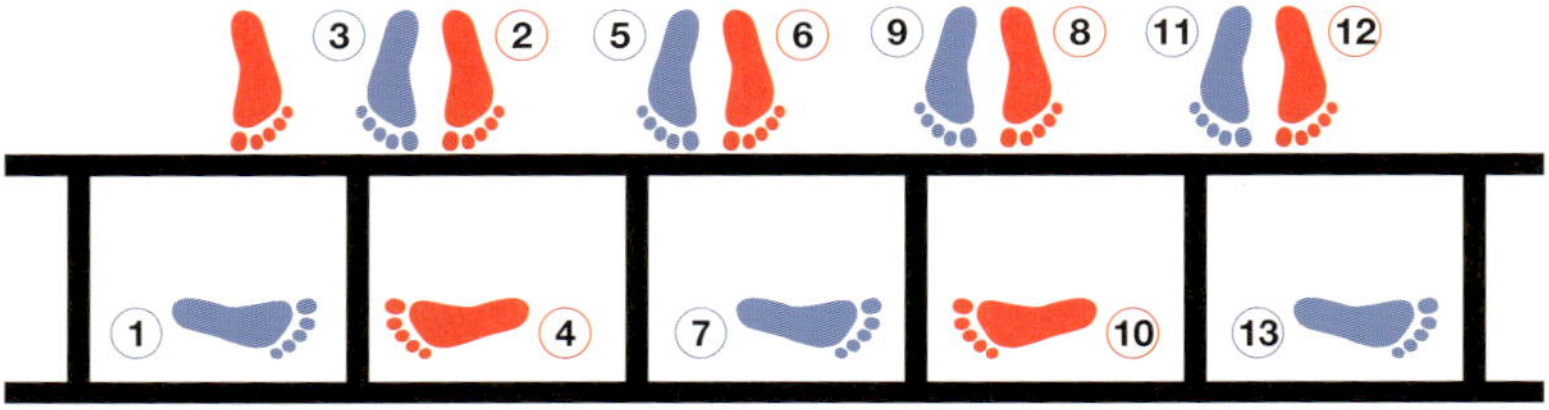

カリオカ（キャリオカ）

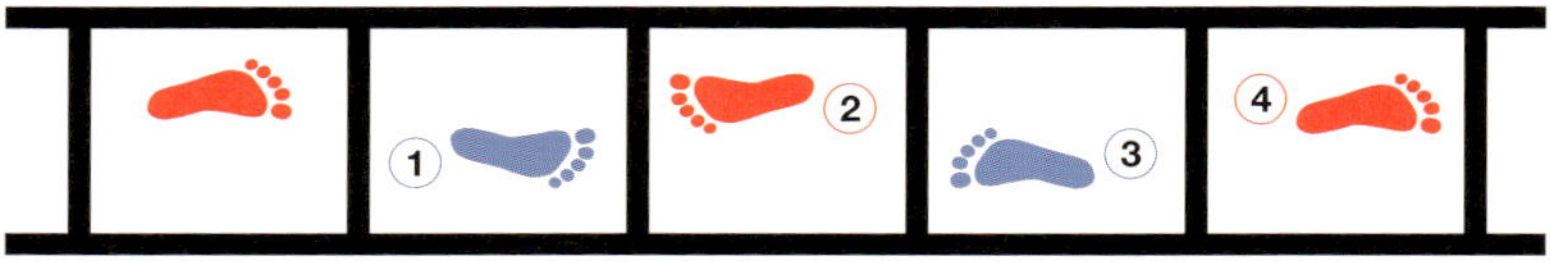

インターン

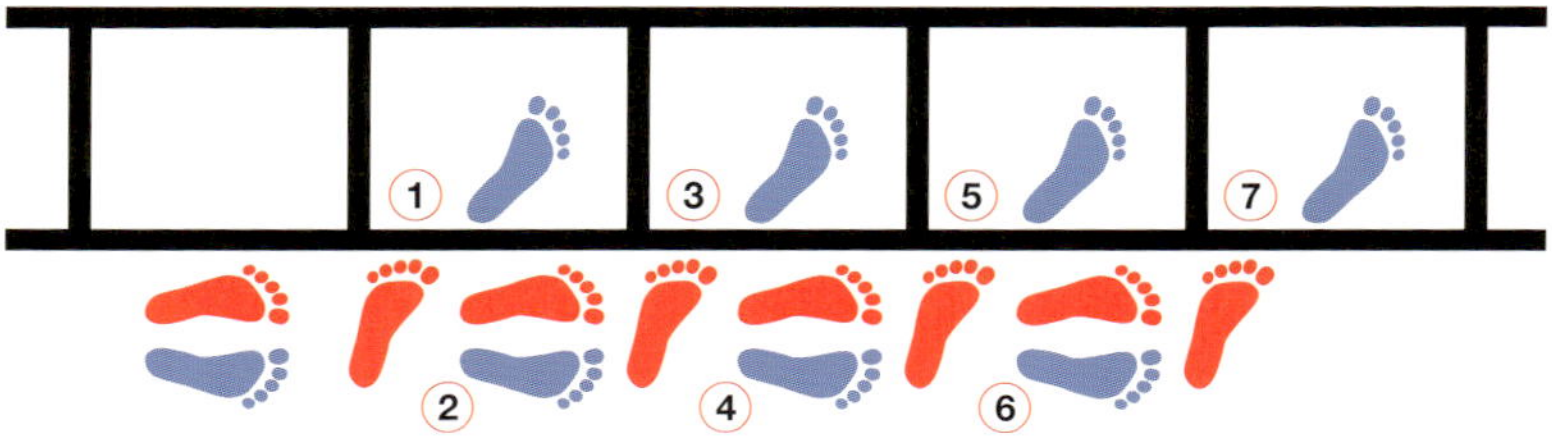

アウトターン

インターナル

エクスターナル

一足入れ替え

両脚飛び（前後）

開閉

No.57 トレーニング

アジリティトレーニング

アジリティとは敏捷性のこと。剣道では、素早い切り返しや方向転換などの動作になるが、身体全体で力一杯踏ん張ったり、筋力だけに頼って方向転換などをしてしまうと、スピードが遅くなり、かつ、怪我もしやすくなる。

そこで、軸ぶれしない安定したバランス姿勢とバランスの調整能力など、いわゆる「身のこなし」が重要になってくる。自らの重心を中心に近い位置から移動させずに速い動きを繰り返し行うことで、この感覚を養っていく。

両脚飛び（横）

踏み替えラン

No.58 トレーニング

体幹トレーニング（ウェイト以外）

体幹とは、身体の胴体部のこと。主に大胸筋、腹直筋、腹斜筋、背筋、僧帽筋、脊柱起立筋などを指す。

同時に、胴体内部の深部の筋肉、横隔膜や多裂筋、骨盤低筋群などの、いわゆるインナーマッスルを鍛えることも必要になってくる。

この体幹「コア」を鍛えることで、体軸が安定し、姿勢も安定感が増すため、爆発力や瞬発力の向上や怪我防止につながる。ここでは、9種類のトレーニングを紹介しておくので、練習に取り入れてみよう。

腹筋 1

腹筋 2（両足開き）

腹筋 3（右足を立てる）

腹筋 4（左足を立てる）

背筋2

ダイアゴナル(正しい例)

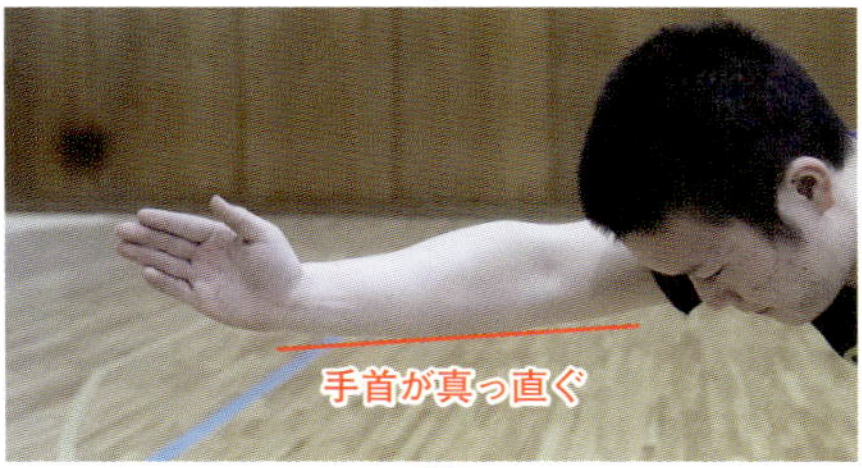

背筋1

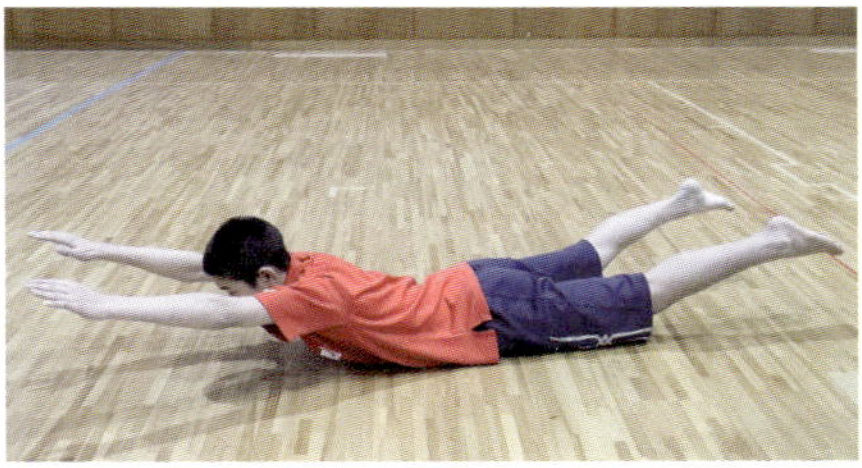

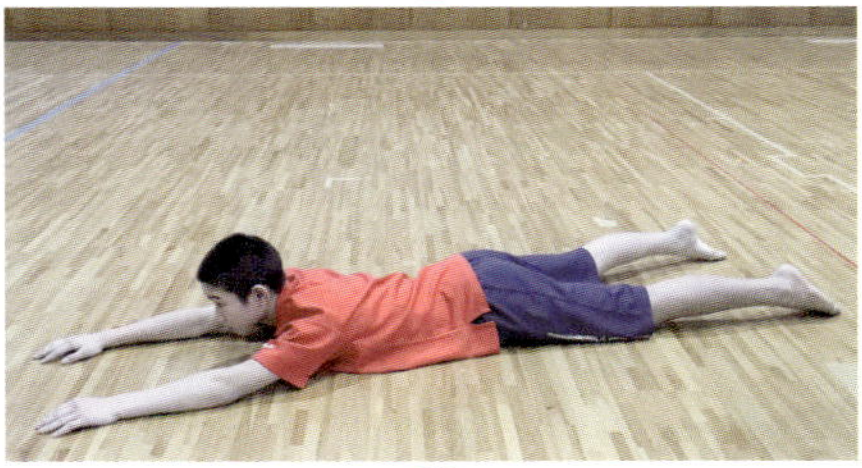

両方 - サイドムーブメントプランク

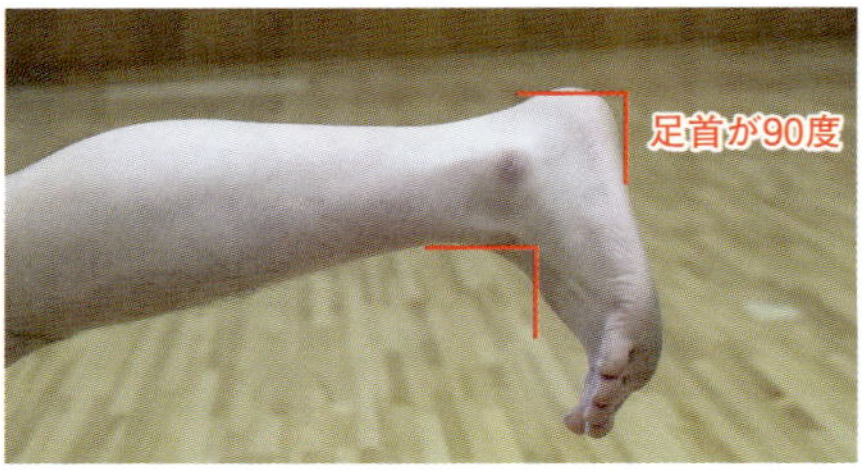

ダイアゴナル(悪い例)

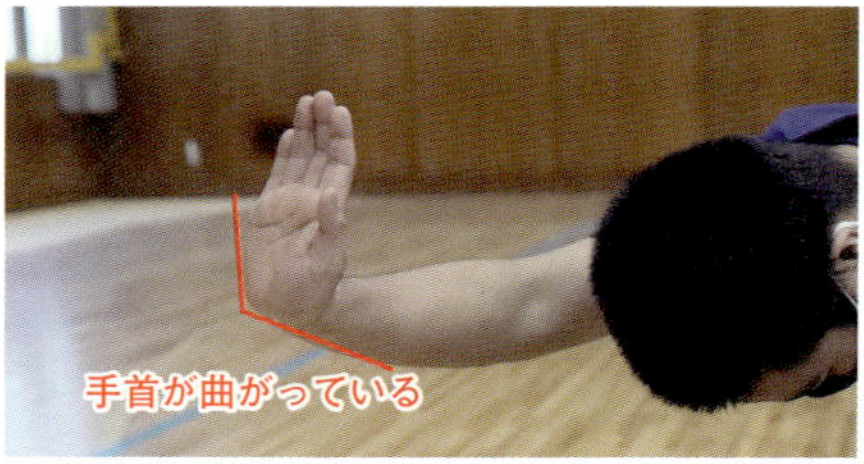

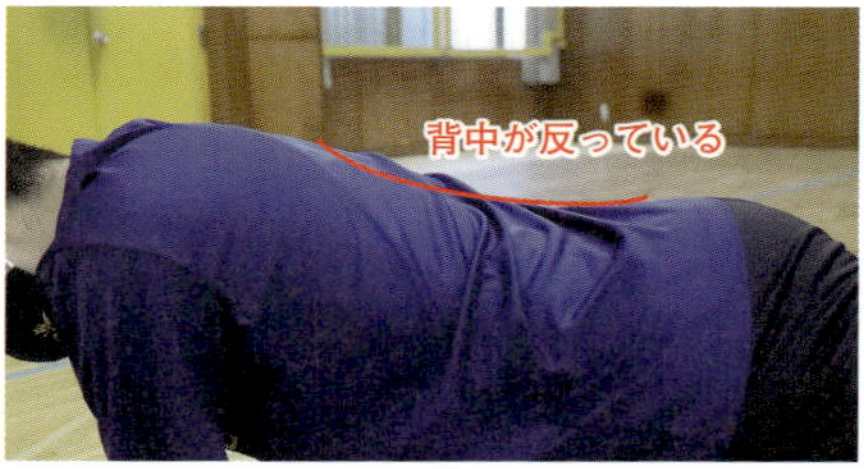

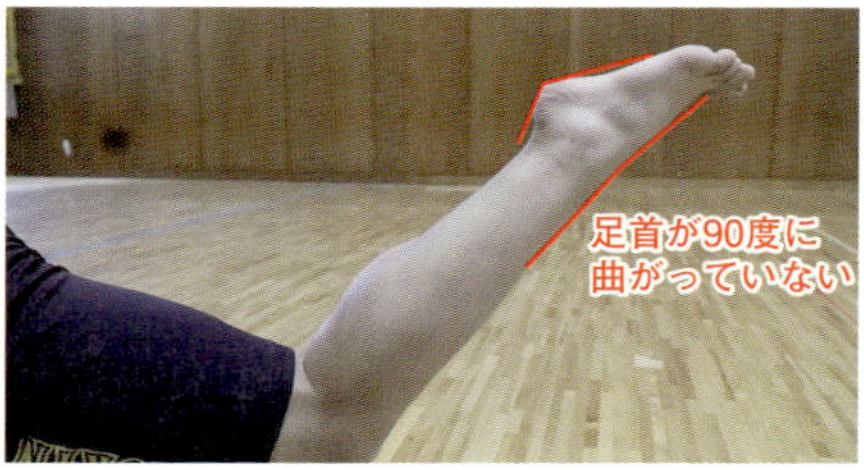

サイドプランク１

サイドプランク２

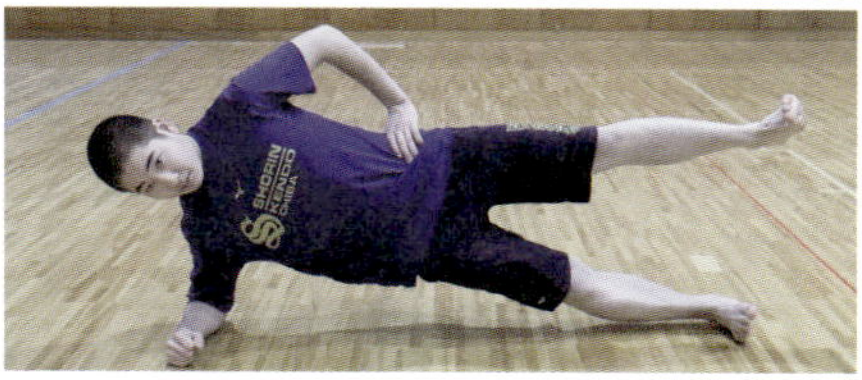

サイドプランク３

プランク１

プランク２

プランク３

No.59 トレーニング

スタビリゼーション（スタビライゼーション）

スタビライゼーションとは、本来、固定や安定という意味で、主働筋や拮抗筋などの補助筋群（スタビライザー）を刺激するトレーニングのこと。体幹や体の軸、胴体の筋肉を鍛えることで、体軸の安定や強化を目的としている。

ビジョン1

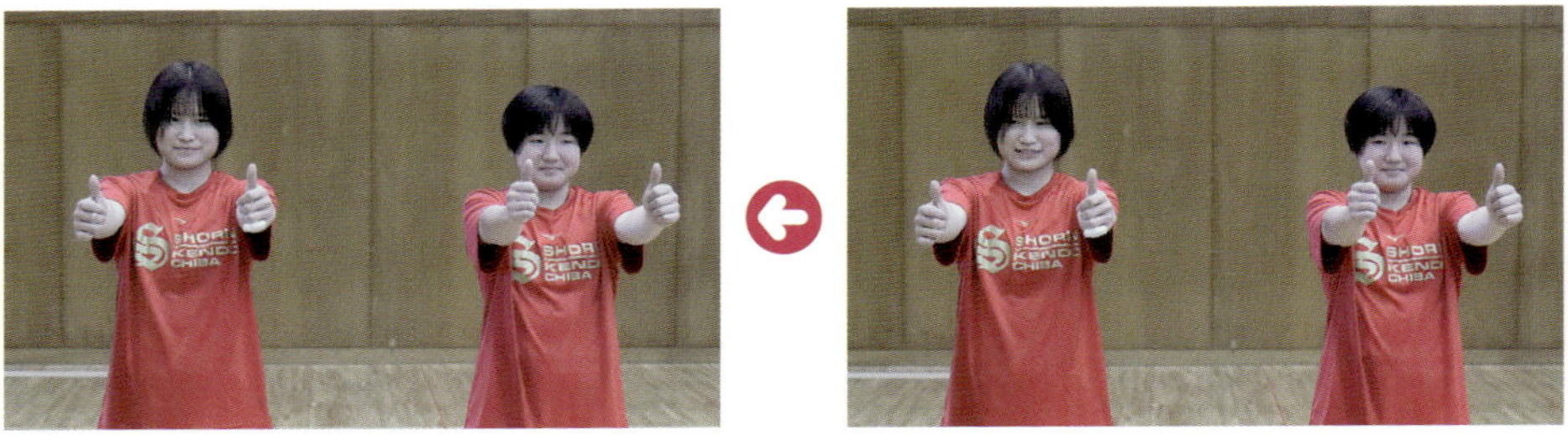

1秒ごとに左右の指先に視線を移す

ビジョン2

1秒ごとに前後の指先に視線を移す

ビジョン3

1秒ごとに上下の指先に視線を移す

No.60 トレーニング

ビジョン

上下左右、遠近など、眼だけを動かして2点を交互に見るトレーニング。眼の力の向上、眼の動きの円滑化、集中力、判断力などを養うことができる。

また、眼を動かすことで脳を活性化し、特に前頭葉を活発に働かせることができる。前頭葉は思考や身体を動かすための指令を発する部分なので、眼を動かす動体視力などのトレーニングは、今後、競技力向上の観点から、間違いなく最も注目される訓練法のひとつになってくるので、ぜひ練習で取り入れてみよう。

―監修―

所正孝

翔凜学園 翔凜中学・高等学校 剣道部総監督

昭和31年生まれ、千葉県出身。剣道歴51年、指導歴43年。県立天羽高等学校卒業。東海大学卒業。令和4年よりIPU・環太平洋大学女子剣道部監督を兼任。昭和54年、市立習志野高等学校に赴任後、平成11年、全国選抜剣道大会で団体優勝、平成12年、全国高校総合体育大会で個人優勝、団体三位の栄冠に導く。平成14年、県立安房高等学校に赴任後、平成17年、全国高校総合体育大会で団体優勝、平成22年には、全国高等学校剣道選抜大会、全国高等学校剣道大会、国民体育大会剣道競技少年男女優勝の三冠達成に導く。全国高等学校剣道選抜大会、全国高校総体、国民体育大会の三冠は史上初。二校での全国制覇の偉業は男子指導者の中で唯一の存在。二校での高校総体個人優勝者を育てたのもただ一人（千葉県での全国総体個人優勝は3人、そのうちの2人が教え子）。平成29年、翔凜中学・高等学校に赴任後、関東大会優勝（団体・個人）。令和元年、高校女子関東大会団体三位、個人ベスト8。令和3年、高校女子全国予選個人一位、二位、三位独占。三校は史上初。令和3年、中学、高校男女が全国総合体育大会出場。中学男子団体ベスト8。

佐々木昭一

翔凜学園 翔凜中学・高等学校 教諭 剣道部コーチ

剣道錬士六段、千葉県出身。市立習志野高等学校を卒業後国際武道大学に進学。卒業後は千葉県警察で警察官を拝命。剣道の特練として活躍する。退職後、翔凜中学・高等学校の教諭、剣道部コーチとして学生の指導にあたっている。戦歴は習志野高等学校時に高校総体個人優勝、全国選抜剣道大会優勝。千葉県警察時に全日本選手権ベスト16。監修の所氏が習志野高等学校で指導していたときの教え子でもある

―トレーニング担当―

氏家鉄心

スポーツ整体師、スポーツトレーナー教員、日本手技療法管理指導士。

トレーナー歴30年。専門課程修了後アメリカで経験を積み、中国上海中医薬大学へ短期留学。元プロ野球BCリーグのトレーナー。現在、プロ選手OBと数々の教室や、学校等で幅広い競技のトレーニング指導にあたり全国大会に導いている。

本書では4章「トレーニング」の監修を担当。

STAFF

●企画・取材・原稿作成・編集
冨沢　淳

●写真
眞嶋和隆

● Design & DTP
河野真次

●撮影協力
翔凜学園 翔凜中学・
高等学校剣道部

●監修
所正孝（剣道教士七段）

剣道歴51年、指導歴43年。
県立天羽高等学校卒業。東海大学卒業。翔凜中学・高等学校剣道部総監督。令和4年よりIPU・環太平洋大学女子剣道部監督を兼任。

●監修協力
佐々木昭一（剣道錬士六段）

市立習志野高等学校卒業。後国際武道大学卒業。翔凜中学・高等学校教諭剣道部コーチ。

●トレーニング担当
氏家鉄心

スポーツ整体師、スポーツトレーナー教員、日本手技療法管理指導士。

部活で差がつく！
勝つ剣道　上達のコツ60　新装改訂版

2022年 3 月15日　第1版・第1刷発行
2024年 7 月10日　第1版・第3刷発行

監　修　所　正孝（ところ まさたか）
発行者　株式会社メイツユニバーサルコンテンツ
代表者　大羽　孝志
〒102-0093東京都千代田区平河町一丁目1-8
印　刷　株式会社厚徳社

◎「メイツ出版」は当社の商標です。

ご意見・ご感想はホームページから承っております。
ウェブサイト　https://www.mates-publishing.co.jp/

企画担当：堀明研斗／千代 寧

※本書は2017年発行の『部活で差がつく！勝つ剣道　上達のコツ60』を元に情報更新・一部必要な修正を行い、書名・装丁を変更して新たに発行したものです。